LA MAISON AUX MIROIRS

Titre original : *Ulysses Moore – La Casa Degli Specchi*
© 2005. Texte : Pierdomenico Baccalario.
Couverture, illustrations et graphisme : Iacopo Bruno.
Publié avec l'autorisation des Éditions Piemme,
Via G. del Carretto 10, 15033 Casale, Monferrato, Italia.

© 2007, Bayard Éditions Jeunesse pour la traduction française.
Adaptation des illustrations : Julien Gargot.
3, rue Bayard, 75008 Paris.
ISBN 13 : 978-2-7470-1954-5
Dépôt légal : avril 2007

Ulysse Moore

– III –
La Maison aux miroirs

Traduit de l'italien par Marion Spengler

BAYARD JEUNESSE

Avis au lecteur

Voici enfin la traduction du troisième cahier d'Ulysse Moore ! Dès que nous avons reçu le manuscrit de Pierre-Dominique, nous nous sommes empressés de le publier. Toute l'équipe attend toujours avec impatience ses e-mails, curieuse de connaître la suite de l'aventure. Dans ce tome, vous verrez, les surprises ne manquent pas. Mais jugez-en plutôt par vous-mêmes...

Les Éditions Bayard Jeunesse

De: Pierre-Dominique Bachelard
Objet: **Manuscrit Cornouailles**
Date: 20 juillet 2004 15:46:01
A: Éditions Bayard Jeunesse
1 pièce jointe,
470 ko

Enregistrer tout...

Bonjour à tous !

Voici la traduction du troisième cahier d'Ulysse Moore !

J'y ai appris des choses incroyables, mais je ne vais pas tout vous révéler dès maintenant... Avant de vous plonger dans la lecture de ce cahier, laissez-moi vous raconter ce qui m'est arrivé la semaine dernière.

Figurez-vous que j'ai appris qu'il y avait une librairie spécialisée dans le tourisme et les voyages à Ermington, une bourgade située à quelques kilomètres à peine de la maison où je loue une chambre d'hôte. J'y ai donc fait un saut, espérant dénicher des renseignements complémentaires sur Kilmore Cove et sa situation géographique.

J'ai feuilleté un tas de livres, consulté des plans et des cartes topographiques, parcouru les légendes et récits de Cornouailles... Et je n'ai rien trouvé ! Au bout d'un moment, j'ai fini par demander de l'aide à la libraire. Nous avons passé l'après-midi à manipuler des ouvrages poussiéreux, qui semblaient ne pas avoir été descendus de leurs étagères depuis des lustres. Toujours rien ! Je suis ressorti bredouille.

Pour me changer les idées, j'ai décidé de prendre un verre. Je me suis installé à la terrasse d'un café. Il y avait beaucoup de monde sur la place du village, et je n'ai pas tout de suite prêté attention à l'homme distingué assis à la table à côté. La seule chose dont je me souvienne, c'est qu'il était moustachu et portait une chemise en lin blanc. J'ai commandé une menthe à l'eau, puis je suis allé régler ma note à l'intérieur. Quand je suis revenu, quelqu'un avait déposé un livre sur ma chaise :

LE VOYAGEUR CURIEUX
Petit guide
de Kilmore Cove et de ses environs

Je l'ai ouvert, les mains tremblantes. Sur la première page, une écriture familière avait rajouté :

BIBLIOTHÈQUE PRIVÉE MOORE
Villa Argo, Kilmore Cove

C'est à ce moment-là que j'ai remarqué que mon voisin était parti. J'ai deviné son identité beaucoup trop tard : il devait sûrement s'agir d'Ulysse Moore en personne ! Dire qu'il était là, à un mètre de moi... et qu'il m'avait échappé !

Je vous envoie une photo du livre, afin de vous prouver que cette histoire est véridique. En le feuilletant, je suis tombé sur un cliché de l'ancienne gare de Kilmore Cove... Ce village existe réellement, et il doit se trouver dans les environs ! Je me sens prêt à sillonner toutes les Cornouailles pour le localiser, s'il le faut.

Je vous tiendrai au courant... À bientôt !

Pierre-Dominique

V. MARBEUF
Fabricant d'instruments d'Optique et de Mathematiques,
Rue Royale, 70, à Brest.

- ULYSSE MOORE -
LA MAISON AUX MIROIRS
Troisième cahier

Chapitre 1
– Le petit déjeuner –

UI CHANTE "

BAIE AUX BALEINES

PLAG

RÉCIFS « LES AILERONS DE REQUIN »

Plan touristique
du village de

KILMORE COVE

Cornouailles

Pièce annexe du VOYAGEUR CURIEUX
Petit guide de Kilmore Cove et de ses environs

Une délicieuse odeur de bacon frit et d'œufs brouillés vint chatouiller les narines de Julia. La jeune fille se retourna dans son lit. Elle sourit dans un demi-sommeil et enfouit son visage dans son oreiller moelleux. Elle resta quelques minutes ainsi sans bouger, puis, à bout de souffle, elle ouvrit un œil et regarda autour d'elle.

Où était-elle ?

Petit à petit, sa mémoire se rafraîchit. Elle était à Kilmore Cove, dans une des chambres de la Villa Argo.

Comment était-elle arrivée là ?

Elle balaya du regard la pièce et sentit l'émotion la gagner.

Au pied de son lit trônait un tas d'habits trempés. Elle n'eut aucun mal à reconnaître ses affaires.

D'autres souvenirs lui revinrent à l'esprit sous forme de flashs : la tempête, la visite intempestive du chauffeur d'Olivia Newton, la falaise et le grand plongeon de Manfred dans le vide et l'écume des flots...

Julia se leva d'un bond :

– Jaaason !

Un tapis douillet l'accueillit au saut du lit. Le pyjama qu'elle portait lui était complètement étranger. Julia attrapa son pantalon de la veille et fouilla dans les poches : les quatre clés de la Porte du Temps étaient toujours là, intactes.

Elle les déposa sur le lit tout en essayant de deviner l'heure.

À travers les persiennes perçaient les rais d'une intense lumière blanche. Était-ce le matin ou l'après-midi ? Impatiente et nerveuse, Julia sortit de la chambre en pyjama :

– Jason ?

Son appel résonna dans le couloir désert.

Tout l'étage était plongé dans l'obscurité, à l'exception d'une chambre dont la fenêtre avait été ouverte. Julia s'approcha de la porte sur la pointe des pieds et se faufila à l'intérieur. Il y régnait un désordre familier : le lit était complètement défait, le sol jonché de baskets, et on avait empilé à la hâte une montagne de T-shirts sur un guéridon.

Pas de doute : Jason était passé par là !

Le cœur de Julia fit un bond dans sa poitrine lors-qu'elle entendit la voix de son frère monter depuis la cuisine.

« Mais oui ! C'est bien lui ! » jubila-t-elle.

Elle quitta la pièce, remonta le couloir en courant, dévala les escaliers et se précipita dans la cuisine.

Rick et Jason s'affairaient autour des fourneaux.

– Jason ! Rick ! s'exclama Julia en leur sautant au cou et en les étreignant chaleureusement. Vous êtes là ! Oh, j'étais tellement inquiète !

– Hé, petite sœur, du calme ! sourit Jason, en s'écartant brusquement. Évidemment qu'on est rentrés... Tout va bien !

Rick, en revanche, la serra à son tour dans ses bras et fut gratifié d'un baiser sur la joue. Dès qu'il croisa le regard de la jeune fille, il eut l'air de défaillir et s'empressa de détourner la tête pour dissimuler ses joues cramoisies.

Julia dévisagea les garçons comme si elle ne les avait pas vus depuis vingt ans. Elle cherchait à deviner d'après l'état de leurs vêtements ce qui leur était arrivé de l'autre côté de la Porte du Temps. Mais elle ne releva aucun indice intéressant : Rick portait la même tenue ; quant à Jason, il avait déniché dans les cartons de déménagement un polo et un pantalon propres et dépareillés.

– Alors ? fit-elle enfin. Vous êtes sûrs, tout va bien ?

– Non, on est très énervés ! répondit Jason.

– Pourquoi ?

– Il n'y a pas moyen de savoir combien de temps ce fichu bacon doit cuire ! À peine dans la poêle, il est déjà carbonisé ! s'exclama Rick en retournant les tranches. On n'a plus qu'à le manger comme ça !

Julia ne quittait pas des yeux les deux compères, qui riaient désormais à gorge déployée devant l'étendue des dégâts, comme pour s'assurer qu'ils étaient bien là, devant elle, en chair et en os. Elle les suivit dans le jardin, où Rick servit tout le monde. Julia céda volontiers sa part à son frère jumeau : elle avait l'estomac encore noué après les aventures mouvementées de la veille.

– Et si vous me racontiez ce qui s'est passé ?

Jason haussa les épaules. Il s'assit sur la chaise de jardin en fer forgé noir et goûta le plat :

– C'est immangeable, Rick ! Absolument immangeable !

Voyant que sa sœur perdait patience, il enchaîna :

– Oh, Julia, je t'en prie ! Je ne vais pas tout te raconter maintenant, mes œufs vont refroidir !

Et il se jeta sur son assiette sans rien ajouter.

– On a découvert un endroit incroyable..., fit Rick en s'étouffant.

– On la retrouvera, cette fichue carte ! intervint Jason, alors que son ami sautillait autour de la table pour tenter de faire descendre le morceau qu'il avait avalé de travers.

Le garçon sauça son assiette avec un morceau de pain dur, se versa une grande ration de lait et le but en quatre gorgées :

– N'est-ce pas, Rick?

– En fouillant tout le village, oui! s'esclaffa le jeune rouquin.

Julia prit une profonde inspiration. L'air était frais et humide.

Elle décida pour le moment de ne pas insister et d'attendre que les garçons aient envie de parler. Elle tendit la main pour saisir un verre et s'aperçut qu'elle tremblait.

– Ça ne va pas? s'inquiéta Rick.

– Non, non, ce n'est rien, fit-elle en secouant la tête. Je suis juste un peu émue... Si vous saviez comme je suis contente de vous revoir!

– Nous aussi, Julia! Sincèrement! On a vécu des choses hallucinantes... Mais, vu l'état du jardin, j'ai l'impression que vous non plus, vous n'êtes pas restés les bras croisés.

– On dirait qu'un cyclone a tout dévasté! commenta Jason.

Le parc entier offrait un spectacle de désolation. Les fleurs, les plantes et les arbres centenaires semblaient échevelés par la tempête. Des feuilles et des petites branches gisaient éparses sur la pelouse et les allées de graviers.

Au milieu de la cour, des traces de pneus rappelaient la visite surprise de Manfred.

En les regardant, Julia sentit son cœur battre la chamade. Comme dans un film au ralenti, elle revit les événements de ces dernières heures : Manfred qui courait vers la porte d'entrée de la Villa Argo, et qui avait trébuché après le croche-patte magistral qu'elle lui avait fait. Ensuite elle s'était jetée sur la vieille clé rouillée tombée de la poche du chauffeur.

Son regard balaya la falaise, la mer à l'azur faussement tranquille et, là-bas, au loin, la silhouette du phare.

Elle ferma les yeux.

— Qu'est-ce que tu as, Julia ? fit Jason, frappé par le teint livide de sa sœur.

— Ce n'était pas de ma faute… Il a plongé dans le vide…, gémit-elle.

— Qui a plongé dans le vide ? insista son jumeau, affublé d'une belle moustache de lait.

La jeune fille résuma aux garçons les épisodes de la veille d'une voix lente et monocorde, comme si elle récitait une leçon. Elle leur rapporta par ailleurs ce que Nestor lui avait dit sur l'ancien propriétaire de la villa :

— Figurez-vous que tous les objets qui se trouvent ici ont été rapportés par les Moore de leurs voyages à bord du *Métis*. Notamment un papyrus funéraire égyptien et une tête de Maure provenant du bazar du Pays de Pount ! D'après Nestor, ils partaient souvent dix, quinze jours, voire un mois d'affilée. J'ai aussi appris qu'Ulysse était un homme remarquable et intelligent, qui adorait cette maison. Quant à Pénélope, c'était une femme de cœur. Elle serait morte en glissant du haut de la falaise...

Julia leur expliqua ensuite avec quel acharnement et quelle rage Manfred avait tenté de s'introduire dans la villa et dans la dépendance, comment Nestor et elle lui avaient résisté par tous les moyens. Enfin elle osa relater en détail la chute de Manfred dans l'abîme.

– Je suis désolée..., murmura-t-elle.

Qu'est-ce qui avait bien pu la pousser à jeter du haut de la falaise la clé que Manfred essayait de récupérer ?

– Bien fait pour lui ! commenta Jason d'un air satisfait.

– Après tout, c'était un voleur, comme sa patronne, enchérit Rick, qui en voulait toujours à Olivia Newton.

Cela remontait à leur première rencontre sur la route de la Villa Argo. Ce jour-là, la voiture chromée de la jeune femme avait failli le renverser. Il avait ravalé sa colère en découvrant ses yeux froids ourlés de cils interminables.

Soulagée par ses aveux, Julia se sentit mieux et réussit cette fois à se servir un verre de lait. Bien calée au fond de sa chaise, elle attendit le récit des garçons.

Jason et Rick évoquèrent tour à tour la Maison de Vie, Maruk et la niche des Quatre Bâtons découverte quelques minutes avant Olivia Newton, et...

– Olivia Newton était en Égypte ? les coupa Julia, stupéfaite. Comment est-ce possible ?

– Laisse tomber, petite sœur ! Nous aussi, on était surpris de la croiser là-bas... comme partout où nous allions.

– En fait, enchaîna Rick, Jason n'est pas convaincu d'avoir réellement voyagé dans le temps !

– C'est vrai, confirma le jumeau de Julia. J'ai lu un essai du docteur Mesmero, qui parlait d'un phéno-mène de ce genre. Il n'appelait pas ça « voyage dans le temps », mais « voyage dans le continuum espace-quelque chose », je ne m'en souviens plus très bien.

– Et pourquoi n'aurais-tu pas remonté le temps ?

Jason fit la moue, tel l'étudiant auquel on pose une question difficile :

– Je ne sais pas... Je n'avais pas l'impression d'être à une époque tellement différente de la nôtre. Je me sentais presque chez moi...

– N'exagère pas, tout de même !

– Figure-toi que non seulement on parlait la langue des Égyptiens, mais qu'en plus on pouvait déchiffrer les hiéroglyphes !

Julia ouvrit de grands yeux interloqués.

Rick prit sur la table *Le Dictionnaire des Langages Oubliés*. Le manuel était en piteux état, avec sa couverture sale et partiellement arrachée. Il l'ouvrit à la page des langues de l'Égypte antique et parcourut quelques hiéroglyphes :

– Alors que, si j'essaie de les lire maintenant, je n'y arrive plus.

Julia tentait de ne pas perdre le fil :

– Et Olivia ? Elle vous a reconnus ?

– En fait, on était cachés. C'est à ce moment-là qu'on l'a entendue évoquer Ulysse Moore... et la carte.

– Quelle carte ?

– Celle qu'elle nous a volée.

– De quoi parlez-vous, bon sang ? s'impatienta Julia.

– *Première et unique carte détaillée du petit village de Cornouailles appelé Kilmore Cove*, récita Rick.

Il fut interrompu par un éternuement tonitruant provenant de la falaise.

– Ah ! Mais vous êtes réveillés ! s'exclama Nestor, surgissant du haut de l'escalier.

Il marqua un temps d'arrêt pour reprendre son souffle.

– Nestor ! le saluèrent les enfants. D'où sortez-vous ?

Le jardinier les rejoignit en boitant et riposta :

– Je crois que c'est plutôt à vous de me raconter d'où vous venez ! Reste-t-il une place à votre table pour un pauvre... ATCHOUOUMM... vieux ?

– Vous avez l'air d'être bien enrhumé ! fit remarquer Jason.

– C'est cette fichue pluie ! bougonna Nestor dans sa barbe, tout en adressant à Julia un sourire chargé de sous-entendus. Comment vas-tu ?

– Les garçons me parlaient de leur rencontre avec Olivia Newton et de la fameuse carte...

Le regard de Nestor s'assombrit brusquement.

– Ah, cette histoire de vol ! dit-il en s'asseyant.

Jason et Rick reprirent le cours de leur récit, décrivant précisément la pièce dans laquelle était dissimulée la carte et le tiroir sous l'autel qui lui servait de cachette.

– C'était infesté de serpents !

– Julia, tu te serais évanouie sur-le-champ !

Au fur et à mesure que les garçons racontaient leurs aventures, le visage de Nestor devenait grave.

– Il fallait s'y attendre, finit-il par lâcher. Cette femme est beaucoup plus maligne et dangereuse que je ne le pensais.

– Pourquoi cette carte a-t-elle autant d'importance, Nestor ?

– Je n'en ai pas la moindre idée, marmonna le jardinier.

– Ulysse Moore, lui, le savait ! répliqua Jason. S'il nous a envoyés la chercher en Égypte, c'est qu'il devait y avoir une bonne raison. Et, à mon avis, il était sûr que nous mettrions la main dessus avant Olivia Newton.

– D'un point de vue purement technique, on l'a découverte avant elle, nota Rick. Le problème, c'est qu'elle nous l'a volée tout de suite après.

– Quel dommage ! soupira Jason. C'était peut-être notre seule occasion...

– Qu'est-ce que tu veux dire ? l'interrogea Julia.

Jason se pencha par-dessus la table du petit déjeuner et murmura :

– Qui sait si l'ancien propriétaire de la villa nous fera encore confiance...

– Qu'est-ce qui te pousse à croire qu'il est toujours vivant ?

– C'est simple, il y a deux hypothèses : soit il vit quelque part dans une pièce secrète de la Villa Argo, soit il a semé des indices pour que l'on retrouve sa trace ailleurs. Et, dans ce cas, sans la carte, la tâche ne sera pas facile.

– Et comment va-t-on connaître la vérité ? demanda Julia.

Les enfants se retournèrent vers Nestor, qui coupa court à la conversation :

– Il faut que je vous laisse ! Je dois aller réparer les dégâts dans le jardin.

Jason réagit au quart de tour :

– Pas question ! Vous ne bougez pas d'ici !

– Ben, voyons ! Tu ne manques pas d'aplomb, mon garçon !

Nestor se leva. Il était raide comme un manche à balai. Il massa son dos endolori et prit une grande bouffée d'air pour oxygéner ses poumons.

– On a besoin de votre aide ! le supplia Jason. Il se cache par ici, n'est-ce pas ?

Nestor eut un petit rire nerveux :

– Hé, ho, bonhomme ! Tu lis trop de romans ! L'ancien propriétaire...

Il éternua de nouveau.

– Jurez-le-moi ! Jurez-moi qu'il est mort ! s'écria Jason.

Les mains sur les hanches, le jardinier s'étira. Son visage trahissait une grande fatigue ; ses yeux cernés et brillants lui donnaient un air fiévreux.

– Écoute, Jason…, intervint Julia. Je ne crois pas que ce soit le bon moment pour…

– Au contraire ! Le moment est tout à fait bien choisi ! Il faut que l'on connaisse une partie de la vérité pour réussir à comprendre ce qui se trame ici ! Il y a tellement de choses que l'on ignore ! Il y a trop de mystères autour de cette maison, de son propriétaire, de ses amis et ses ennemis ! Tiens, nous, par exemple ! Quel est notre rôle ? On appartient à quelle catégorie : amis ou ennemis ?

Nestor posa son regard sur sa maison en bois au milieu du jardin puis sur les enfants. Jason avait raison : ils avançaient à l'aveuglette, ployant sous les doutes et les questions. Le jardinier se décida à leur confier :

– Si cela peut vous aider, je vous jure que plus aucun Moore ne vit à la Villa Argo. Ça vous convient comme réponse ?

Sur ces paroles, il s'éloigna du trio en boitant, et souffla dans un grand mouchoir en coton rêche.

– D'un point de vue purement technique, pinailla Rick, il ne nous a pas franchement affirmé qu'Ulysse Moore était mort.

Rick et les jumeaux rapportèrent leurs assiettes à la cuisine. Ils se donnèrent rendez-vous quelques minutes plus tard pour décider du programme de la journée.

Rick en profita pour aller faire un tour du côté de la falaise. Arrivé en haut de l'escalier taillé dans la roche, il contempla la mer et se laissa bercer par la brise.

Julia remonta dans sa chambre enfiler un jean et récupérer les quatre clés aux anneaux ciselés en forme d'animaux. À son retour, elle retrouva Jason assis à la table de jardin, un stylo à la main. Il séchait devant une feuille à moitié blanche :

– Je ne sais pas par où commencer...

– Vous connaissez l'adresse d'Olivia Newton ? s'enquit Julia, tout en lisant par-dessus l'épaule de son frère.

– Il y a deux bateaux de pêche qui arrivent ! annonça Rick en les rejoignant. Si on descendait au port leur acheter des homards pour midi ?

À la pensée de devoir grimper la côte de Salton Cliff juché sur une des bicyclettes des Moore, Jason refusa net :

– Pas maintenant, si tu veux bien ! Dis-moi, tu as une idée de l'endroit où habite Olivia Newton ?

– Non, pourquoi ?

Jason lui montra le programme qu'il avait concocté :

1. Retrouver la carte qu'Olivia nous a volée.

2. Comprendre ce que cette fichue carte représente (voire même avant de l'avoir récupérée).

3. Essayer de TOUT savoir sur la Porte du Temps.

4. Explorer la Villa Argo ENTIÈREMENT, du grenier aux galeries souterraines.

– Ça alors ! Je ne te savais pas aussi organisé, le taquina sa sœur. Ce voyage en Égypte t'a transformé !

Rick attrapa une chaise en fer forgé et vint s'installer à côté des jumeaux :

– On dispose de combien de temps pour tout faire ?

– On n'a qu'une petite journée !

– Pourquoi ? s'étonna Julia.

– Parce que papa et maman arrivent dans l'après-midi, et Rick va être obligé de rentrer chez lui.

Le jeune rouquin afficha soudain une mine déconfite. Il n'avait pas réalisé qu'il devrait un jour ou l'autre quitter la Villa Argo.

– Tu oublies un point..., rectifia Julia en vérifiant la liste.

Jason leva les yeux au ciel, exaspéré :

– Voilà que mademoiselle veut mettre son grain de sel ! Alors, on peut savoir ce qui manque ?

– On ignore ce qui est arrivé à...

Julia se borna à pointer du menton l'escalier de la falaise. Elle espérait que les garçons devineraient ses pensées.

Rick fit un signe de la tête. Il eut le tact de ne rien dire, tandis que Jason inscrivait sur sa feuille :

5. Chercher le CADAVRE de Manfred.

– Très délicat de ta part..., observa sa sœur.

Une quinte de toux mit fin à leurs chamailleries. Nestor s'avança vers eux clopin-clopant. Il traînait derrière lui un râteau rouge, avec lequel il effaçait les traces de pneus sur le gravier. Les enfants l'assaillirent de questions.

– Non, je n'ai rien vu sur la plage, marmonna le jardinier. Ni dans les rochers. Souviens-toi de ce que je t'ai dit, Julia : les personnes de son espèce ont neuf vies, comme les chats.

Un nouvel éternuement ébranla sa grande silhouette.

– Jason, rajoute : *acheter un sirop pour Nestor*, déclara la jeune fille.

– Je te signale qu'on est dimanche, lui rappela Rick. La pharmacie du docteur Bowen est fermée.

– Je n'ai pas besoin de sirop, ronchonna Nestor. C'est un refroidissement de rien du tout.

– Il ne faut jamais prendre un rhume à la légère, Nestor. Surtout à votre âge !

– Sache, ma petite, que, si j'ai atteint cet âge, c'est précisément parce que j'ai toujours refusé de prendre le moindre médicament ! Et, crois-moi, ce n'est pas maintenant que je vais commencer.

– Attends un peu, Rick ! réagit soudain Jason. Tu as bien parlé du docteur Bowen, non ? Ce nom me dit quelque chose... Il ne figurait pas au bas de la carte ?

– *Première et unique carte détaillée du petit village de Cornouailles appelé Kilmore Cove, de Thos Bowen, Londres, 1789*, répéta Rick, interloqué. Tu penses que ça a un rapport ?

– On a vu qu'il n'y avait pas de hasards dans cette histoire, spécifia Jason.

– Hé, les garçons ! intervint Julia. Pourquoi n'insistez-vous pas auprès de Nestor pour qu'il...

Rick et Jason poussèrent leurs chaises, euphoriques et surexcités :

– Thos Bowen pourrait être le grand-père du docteur Bowen !

– Ou l'arrière-grand-père.

– Ou l'arrière-arrière-arrière-grand-père ! Où habite-t-il ? Où a-t-on rangé les bicyclettes ?

– Quelle heure est-il ? On a peut-être le temps

d'aller rendre une visite à ce monsieur avant le déjeuner...

Julia leur coupa brusquement la parole :

– Chut ! Taisez-vous !

– Quoi encore ? s'écria Jason.

– Téléphone ! hurla Nestor en indiquant la maison. Le téléphone sonne !

Chapitre 2
- Un appel de Londres -

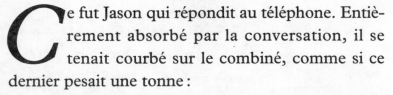

Ce fut Jason qui répondit au téléphone. Entièrement absorbé par la conversation, il se
tenait courbé sur le combiné, comme si ce
dernier pesait une tonne :

– Oui, maman… Non, maman… D'accord,
maman… Non, non, on ne s'est pas éloignés… Non…
Je te promets…

Il jeta un regard interrogateur à sa sœur, qui l'in-
cita à donner davantage de précisions.

– Les mères sont toutes les mêmes, commenta
Rick à voix basse : si on ne leur raconte rien, elles se
doutent de quelque chose. Et, au contraire, si on
se perd dans les détails, elles ne nous écoutent même
plus.

– Hm, hmm… Hm, hmm… Rien… Rien, je te
répète ! poursuivit Jason.

Il ferma les yeux, exaspéré, écoutant en silence les
remontrances parvenant de l'autre bout du fil :

– Tu veux vraiment savoir ? Eh bien, en fait, on est
allés en Égypte et on s'est perdus dans un labyrinthe.
Rick a failli se faire dévorer par un crocodile. Rick,
tu sais, notre ami de Kilmore Cove. Si tu avais vu sa
tête quand nous sommes entrés dans cette pièce
grouillant de serpents !

Jason marqua une pause avant de conclure :

– OK, je te passe Julia…

— Bonjour, maman! s'exclama sa sœur, toute guillerette. Oui, oui, on va très bien. De la pluie? On a eu une vraie tempête ici! Du coup, on est restés tranquilles et on a fait un jeu de société... Et... euh... ensuite...

— On a plongé de la falaise! lui souffla Jason.

Il esquiva de justesse un coup de pied de Julia, qui lui fit signe de se taire.

Jason suggéra à Rick de ne pas perdre davantage de temps et d'aller chercher les vélos dans le garage.

Les garçons s'éloignèrent. Mais, au lieu de sortir directement dans le jardin, ils firent un détour par le petit salon de pierre, où se trouvait la Porte du Temps.

La porte était toujours là, immobile et silencieuse, terriblement présente. Son bois calciné et entaillé et ses quatre serrures disposées en losange semblaient les narguer, tel un visage railleur.

— À quand notre prochain passage de l'autre côté? lança Rick, de nouveau envoûté.

— Je te propose de régler d'abord ces détails, répondit Jason en lui tendant la feuille, au bas de laquelle il avait rajouté :

6. Aller le plus vite possible chez le docteur Bowen.

Accroché dans la montée des escaliers, le portrait d'un des anciens maîtres des lieux paraissait les observer d'un air satisfait.

– Tu as entendu ? fit Jason en serrant le bras de Rick.

– Quoi ?

Jason s'avança vers les marches et tendit l'oreille. Il percevait désormais très nettement un bruit de pas à l'étage :

– Là, tu entends ?

– Oui, ça y est ! Qu'est-ce que ça peut bien être ?

Doucement, avec l'agilité d'un funambule, Jason commença à gravir les degrés.

Des bribes de la conversation téléphonique de Julia lui parvenaient encore :

– ... Et ensuite on a fait une belle partie d'échecs. Rick et Jason se sont mis contre moi. J'ai gagné, bien sûr !

Au fur et à mesure que Jason montait et se rapprochait de l'endroit d'où provenait le bruit suspect, la voix de sa sœur devenait de plus en plus inaudible.

Cratch... cratch... cratch...

On aurait dit des pas de fantôme.

Et si c'était Ulysse Moore ?

Le garçon frôla la série de cadres dorés et s'arrêta devant l'espace vide laissé par le seul tableau manquant : celui de l'ancien propriétaire.

Cratch... cratch... cratch...

Cela venait bien de la salle de bains, la première porte à droite du couloir qui desservait les chambres à coucher. En haut de la cage d'escalier se trouvait la porte au miroir, qui conduisait à la pièce de la petite tour, puis, plus loin, la bibliothèque.

Jason jeta un coup d'œil par-dessus la rampe : Rick, resté au rez-de-chaussée, n'avait pas bougé d'un pouce et le regardait d'un air inquiet. Il le rassura d'un signe de la tête. Il remonta quelques marches ; il entendit Julia rire au téléphone.

Cratch... cratch... cratch...

Jason prit une profonde inspiration et se jeta sur la poignée de la salle de bains :

– JE TE TIENS ! hurla-t-il en ouvrant d'un coup sec.

Il ne distingua d'abord personne et ne remarqua rien d'anormal, si ce n'est que la fenêtre était ouverte. Quelques secondes plus tard, un mulot pointa son museau entre les flacons de parfum que Mme Covenant avait soigneusement ordonnés sur la tablette du lavabo. Il sauta à terre et se faufila

entre les jambes de Jason, dont les genoux s'entre-choquaient.

– Aaaahaa ! cria le garçon en faisant un bond en arrière.

– Qu'est-ce qui se passe ?

Rick accourait, décidé à prêter main-forte à son ami.

La souris des champs s'enfuit et se précipita dans les escaliers.

– Mais elle est énorme ! lâcha Rick en la voyant filer.

Le rongeur, encore plus terrorisé que les deux garçons, se laissa glisser le long de la rampe. Il perdit l'équilibre, se débattit en l'air avant d'atterrir dans un bruit sourd sur le carrelage du rez-de-chaussée.

Julia masqua un instant le combiné avec sa main et lança :

– Qu'est-ce qui est énorme ?

Le mulot, encore choqué, remua la tête. Il opta pour la fuite et se dirigea vers la petite pièce où se trouvait le téléphone.

Un cri strident y retentit alors. Jason dévala les marches.

– Oui, oui, maman !... Euh... Non, maman !... Je... je t'assure que je ne l'ai pas fait exprès, bredouillait-il une minute plus tard.

Il essayait vainement de profiter des rares pauses que sa mère lui concédait pour lui expliquer ce qui s'était passé :

– Non, ce n'était pas une plaisanterie de mauvais goût !... Elle a eu peur d'une souris !... Je ne sais pas ce qu'elle faisait dans la salle de bains... Elle a dû entrer par la fenêtre... Oui, elle était grande ouverte... Je l'ai trouvée entre les bouteilles de parfum... Non, maman... Je sais... Non, rassure-toi, elles ne sont pas cassées...

Tandis que Jason répondait tant bien que mal aux questions de sa mère, Julia et Rick, armés de balais en paille, effectuaient une dernière ronde dans le salon. L'incident produisait sur les deux enfants des effets opposés : alors que Rick prenait les choses à la rigolade, Julia, elle, affichait une moue dégoûtée.

– Hm, hm... OK... D'accord !... Salut, papa ! Ça fait plaisir de t'entendre !

Jason sembla tout d'un coup redoubler d'attention :

– C'est VRAI ?

Il leva son pouce droit en signe de victoire.

– Euh, je voulais dire… c'est dommage ! Mais tu en es sûr ?

Rick se tenait immobile, le balai à la main, tout ouïe.

– Non, non, pas de problème ! poursuivit Jason. On s'en occupe. Ça me paraît difficile de te passer Nestor : il est au fond du jardin. Avec sa jambe malade, il mettrait trop de temps à venir jusqu'ici. En revanche, tu peux le joindre à l'heure du déjeuner… Je m'en charge. Je lui dirai… Hm, hm… D'accord. J'ai compris… Non, non, on ne bouge pas d'ici. Allez, au revoir, papa !

À peine avait-il raccroché, Jason entama une danse de Sioux au milieu de la pièce :

– Youpiiii… ! Ils ont dit qu'ils ne rentreraient que cette nuit ! Le déménagement est plus long que prévu. Génial ! Ça veut dire qu'on a tout le dimanche devant nous ! On va en profiter, les amis !

Pour la troisième fois, il consulta sa liste :

– Ne perdons pas une minute ! Filons chez le docteur Bowen !

– Non, attendez ! Mieux vaut d'abord s'assurer que cette fichue bestiole a bel et bien décampé ! fit Julia en passant le balai sous le buffet.

Dehors, les garçons trouvèrent Nestor en train de ratisser les allées de graviers :

– Hé, ho, pas si vite, les enfants ! J'ai besoin de bras pour remettre en état le jardin !

– Désolés, Nestor ! On a une urgence ! lâcha Jason, tout essoufflé. Papa et maman ont des problèmes avec le déménagement, et il y a de fortes chances pour qu'ils reviennent très tard. Il faut qu'on y aille ! Mes parents vont vous rappeler. Dites-leur qu'on est descendus se baigner.

– Et quelle est la version officieuse ? demanda le jardinier, sarcastique.

– On va chez le docteur Bowen, répondit Julia en sortant à son tour sur le perron, le balai à la main.

Elle semblait avoir triomphé de la bête.

– Et vous avez l'intention de vous y rendre comment ?

– À vélo, spécifia Jason.

– Je ne crois pas que ce soit une bonne idée…, lança Nestor en faisant mine de se concentrer sur son travail.

Julia descendit les marches et s'approcha de lui pendant que son frère et Rick disparaissaient dans l'abri de jardin :

– Vous avez mal au dos, Nestor ?

– Ce n'est rien comparé à mon moral, bougonna le jardinier sur le ton de la confidence.

Il était de très mauvaise humeur et ressassait selon toute vraisemblance les événements de la veille :

– Il y a quelques années, les choses se seraient passées différemment. Sur tous les plans, crois-moi.

– Vous vous êtes très bien défendu, lui assura Julia en l'embrassant spontanément sur la joue. Vous ne devriez pas vous mettre dans cet état-là.

Nestor s'appuya sur son râteau :

– Ah, tu trouves ! Et comment devrais-je réagir ? En sautant de joie ?

Un bruit de ferraille retentit, suivi d'une série de plaintes :

– Oh, non ! cria Rick. Quelle tuile !

– Noooon ! enchérit Jason.

Julia pivota vers le cabanon ; Nestor, imperturbable, s'empressa de charger un tas de feuilles et de brindilles dans sa brouette.

Les garçons sortirent les bicyclettes.

– On peut savoir qui a fait ça ? demanda Rick, la voix déformée par la colère.

Le guidon de son vélo était complètement tordu, et la chaîne pendait.

Julia soupira : elle devinait aisément la réponse. Elle devait des explications supplémentaires aux garçons. Elle leur avoua que Manfred, la veille, frustré de ne pas pouvoir entrer dans la maison, s'était mis à arpenter le jardin comme un enragé. Il avait passé ses nerfs sur tout ce qui se trouvait sur son passage, notamment sur le cabanon.

– Nestor et moi, on n'a rien pu faire. On était tétanisés... On l'espionnait de là-haut...

En se retournant vers la façade, Julia eut l'impression d'apercevoir l'espace d'un instant un homme en train de l'observer derrière la fenêtre du grenier.

GARE

RUE STUBBORN

PEMPLEY

OLARIS

RUE

ÉCOLE PRIMA
ET COLLÈGE

PLACE
SAINT-JACOB

MAIRIE

CRUBBER SWEET

RUE BEL

PLACE
WILLIAM V

AUBERGE
« AU GRAND LARGE »

BAIE AUX

PETIT

LAISE DE

LES AILERONS DE REQUIN

VILLA
U ROSSIGNOL QUI CHAN

Chapitre 3
- En quête de nouveaux indices -

Plan tour
du village d

KILMORE C

Cornouailles

Pièce annexe du VOYAGEUR CURIEUX
Petit guide de Kilmore Cove et de ses environs

Rick coucha sa bicyclette sur le gravier, comme s'il s'agissait d'un patient à opérer. Il avait disposé autour l'attirail que Nestor lui avait procuré : tournevis, marteaux, vis et pinces.

– Hm, hm... C'est pire que ce que je pensais, conclut-il après un examen approfondi.

– C'est grave ? s'enquit Julia.

Les jumeaux, totalement impuissants, se tenaient debout derrière le rouquin. Les connaissances de Jason en la matière se limitaient aux rares informations qu'il avait glanées au cours de ses lectures de bandes dessinées. Quant à Julia, elle ne s'était jamais donné la peine de se pencher sur la mécanique d'un vélo.

Rick saisit la chaîne et essaya de la glisser sur le pignon :

– Oui, plutôt ! J'en ai pour une bonne heure, peut-être même plus.

Jason prit un air déconfit. Cet imprévu chamboulait leur programme :

– On peut t'aider ?

– Non, pas là. Mais, tout à l'heure, j'aurai besoin de vous pour réparer les autres...

Il désigna les deux vieilles bicyclettes d'Ulysse et Pénélope Moore que Nestor leur avait prêtées la veille.

– Elles ont juste le cadre tordu. Pour le redresser, il faudra s'y mettre à trois.

Jason farfouilla dans ses poches :

– Qu'est-ce que j'ai fait de la liste ?

Il les retourna l'une après l'autre, mais la feuille avait bel et bien disparu. Envolée, ou peut-être volée. Exaspérée, Julia préféra ne pas commenter les efforts pathétiques de son frère.

À quelques mètres de là, Nestor renversa le contenu de sa brouette et se baissa avec peine pour allumer un feu.

Rick choisit un tournevis étoile pour fixer la chaîne sur les pignons :

– Ça me rappelle mon père... Il me disait toujours : « Quand tu ne sais pas par quel bout attaquer, suis ton instinct ! »

Le dérailleur grinça, mais Rick n'était pas du genre à se laisser démonter.

– Espérons que les conseils de ton père sont judicieux..., maugréa Jason.

La Villa Argo semblait les toiser. Ses fenêtres laissaient entrevoir ses pièces richement meublées et chargées de bibelots en tout genre.

– Si ça ne te dérange pas, pendant que tu répares les vélos, Julia et moi allons en profiter pour jeter un coup d'œil dans la maison.

– Comment ça, *les vélos* ? Que ce soit bien clair entre nous : je remets le mien en état, et vous, vous me donnez un coup de main pour les deux autres !

– D'accord, concéda Jason. En attendant, on va passer en revue chaque pièce afin de trouver un indice qui pourrait nous conduire sur une piste. Tu viens, Julia ?

La jeune fille n'avait pas vraiment envie de rentrer. Elle n'arrivait pas à oublier l'homme qu'elle avait entrevu derrière la fenêtre du grenier. Pour la première fois depuis son arrivée à Kilmore Cove, l'idée d'explorer la maison la faisait frissonner de la tête aux pieds.

Elle songea un instant à rester, sous prétexte de seconder Rick, puis elle se ravisa. Elle tenta de se raisonner. Après tout, ce n'était pas elle qui avait hérité d'une imagination délirante, mais Jason. C'était lui qui voyait des fantômes partout. « Non, non, se répéta-t-elle, je n'ai vu personne. » Une distance importante la séparait de la fenêtre de toit, et elle avait dû prendre une ombre, un jeu de lumière, un miroitement du soleil pour une silhouette humaine.

– Ce qui est étrange, c'est qu'il portait un chapeau..., se remémora-t-elle à voix haute.

– De qui parles-tu ? demanda Jason.

– Hé, vous deux ! Passez-moi la vis n° 5, s'il vous plaît ! réclama Rick, le visage en sueur et les mains pleines de cambouis.

Les jumeaux traversèrent la cuisine pour aller dans la salle à manger. Jason écarta les rideaux à fleurs et observa les tableaux accrochés aux murs. Il s'agissait de quatre gravures du XIXe siècle, illustrant des scènes de l'Ancien Testament. Il inspecta ensuite le tiroir d'un vieux poêle à bois : il était vide. Quant à la commode, elle ne recelait que des nappes et des serviettes de table.

– Allons voir ailleurs ! Il n'y a rien d'intéressant ici, conclut le garçon.

Il se livra au même exercice dans le salon adjacent.

Il glissa la tête dans la cheminée, souleva des piles de livres et déplaça la statue d'un lévrier de course noir. Il finit par se résigner : là non plus, ils n'apprendraient rien de nouveau.

– Je ne comprends pas... Qu'est-ce qu'on cherche exactement ? s'enquit Julia.

– Un détail qui nous aurait échappé. Quelque chose qui cloche. Un élément qui nous donnerait davantage de précisions sur les voyages de l'ancien propriétaire de la villa, sur la Porte du Temps et le rôle d'Olivia...

Tandis qu'ils passaient au peigne fin la deuxième salle à manger et la petite pièce abritant le téléphone, Julia révéla à son frère tout ce que Nestor lui avait dévoilé sur les voyages d'Ulysse Moore et de sa femme :

– Selon lui, les Moore avaient commis une erreur, une erreur regrettable en invitant Olivia Newton. Mais je ne crois pas qu'il en sache davantage à ce sujet.

Ils pénétrèrent dans le petit salon en pierre et s'arrêtèrent devant la Porte du Temps.

– À mon avis, c'est là qu'il faut fouiller ! Il n'y a pas de meilleur endroit pour cacher un secret, fit Julia, qui dissimulait à grand-peine sa peur.

Jason se baissa pour ramasser une poignée de sable, qu'il laissa filer entre ses doigts :

– Voilà qui prouve que nous ne sommes pas complètement fous...

Il se retourna vers sa sœur :

– Tu as les clés ?

Julia acquiesça :

– Qu'est-ce que tu as l'intention de faire ?

Son frère les lui arracha des mains.

– Nestor m'a expliqué que la porte ne peut se rouvrir que si toutes les personnes qui l'ont franchie

sont rentrées à la maison... ou ne sont plus en état
de rentrer, précisa Julia.

Jason inséra dans la serrure la plus haute la première
clé : sur son anneau était ciselé un ornithorynque.

– Je me demande si quelqu'un d'autre que moi et
Rick aurait pu revenir...

Il glissa la deuxième, puis la troisième clé : l'uraète
et le varan.

– Jason... On ne devrait pas...

– Quoi ?

Il enfila la clé à l'emblème du renard dans la
serrure la plus basse.

– La rouvrir.

Clac, clac, clac, clac...

Le battant s'entrebâilla.

Jason et Julia se tinrent immobiles sur le seuil.
La lumière provenant du salon en pierre éclairait la
pièce circulaire. Sur son sol était gravée une phrase
sans commencement ni fin, lisible de droite à gauche
ou vice-versa. On devinait au-delà les trois issues,
donnant sur les galeries qui menaient au niveau infé-
rieur. Parmi elles se trouvait le fameux passage au
toboggan qui conduisait à la grotte souterraine dans
laquelle était amarré le *Métis*.

– La clé que Manfred voulait ressemblait à celles-ci, lança abruptement Julia.

Elle récupéra les clés et caressa leurs anneaux :

– Mais je ne l'ai pas très bien vue... Il pleuvait, et j'étais morte de peur.

– Attends ! Tu penses qu'il voulait entrer dans la Villa Argo pour s'en servir ?

– C'est tout du moins l'impression qu'il donnait, admit Julia.

– Et Nestor ? Quelle est sa version des faits ?

– À l'entendre, il s'agit d'une copie de celle qui ouvre la Villa Argo.

Jason opina du bonnet. Cette histoire se tenait : Manfred se rend dans la dépendance du jardinier, vole la clé de la Villa Argo et, enfin, essaie d'y pénétrer.

– Et toi, tu le crois sur parole ?

– Parfaitement !

– Si mes souvenirs sont bons, hier, tu ne faisais pas vraiment confiance à Nestor...

– Tu n'étais pas là, Jason ! Tu n'as pas vu avec quel acharnement il s'est battu et a risqué sa vie pour défendre l'entrée de la maison ! Manfred était fou de rage, dangereux même... Nestor a un sale caractère, je le reconnais, mais c'est un type bien. Et tout ce qu'il m'a raconté jusqu'à maintenant s'est révélé exact.

– Dans ce cas-là, il nous a probablement dit la vérité à propos d'Ulysse Moore : il ne doit plus être ici, soupira Jason. Il faut qu'on le retrouve, Julia... Quand je pense qu'on n'a plus aucun indice ! Depuis que cette carte nous a échappé, on n'a plus une seule piste, comme si on avait brusquement perdu le contact avec l'ancien propriétaire.

Il scruta la pièce circulaire :

– Je suis curieux de savoir si le *Métis* est de nouveau là, amarré au ponton... et si les lucioles tournoient toujours dans la grotte...

Sa sœur l'arrêta tout de suite :

– Je te vois venir, Jason ! Si nous passons le seuil de cette porte, on sera obligés d'embarquer sur le *Métis*.

– Qu'est-ce que tu en sais ?

– C'est Nestor qui me l'a affirmé, mentit Julia, qui voulait empêcher son frère de s'aventurer sous la falaise de Salton Cliff. Si tu mets un pied de l'autre côté, tu dois aller jusqu'au bout.

Jason franchit la limite de la pointe du pied en la provoquant :

– C'est donc ça, la frontière ? Un pas de plus, et, hop ! je remonte le temps...

Julia s'appuya contre la lourde porte en bois et la referma doucement :

– Le moment n'est pas encore venu, Jason. On a d'abord un certain nombre de choses à régler à Kilmore Cove.

Ils montèrent au premier étage en prenant soin d'examiner au passage avec minutie les portraits des anciens propriétaires, suspendus aux murs par de fines chaînettes. Arrivés en haut de l'escalier, ils marquèrent un temps d'arrêt devant la porte de la tourelle avant de se décider à poursuivre leur chemin jusqu'à la bibliothèque.

Les volets étaient ouverts, mais la pièce était sombre. La lumière du jour avait tellement de mal à percer qu'on avait l'impression d'être en fin de journée. La pièce bénéficiait pourtant de deux belles fenêtres : l'une donnait sur la cime des arbres ; l'autre, sur la cour de gravier et le portail d'entrée. Peut-être étaient-ce la couleur du plafond et les étagères qui rendaient l'endroit aussi oppressant.

Les murs étaient en effet tapissés de rayonnages en bois sombre, cachés pour certains sous un filet. Des plaques de cuivre divisaient les livres par thèmes.

Au plafond se balançait un lustre de bronze en forme de héron. Il éclairait une table basse en cristal

et un divan en peau de buffle. Deux fauteuils pivotants et un piano droit complétaient le mobilier.

Pendant que Julia admirait béatement de précieux ouvrages anciens aux belles reliures dorées, Jason souleva le couvercle du piano et tapota au hasard sur les touches, produisant une série d'accords dissonants.

– Arrête ça tout de suite, tu veux bien ! gémit la jeune fille, une note d'humour dans la voix.

– À vos ordres, mademoiselle ! rétorqua-t-il en obéissant immédiatement.

Au rayon *Paléographie*, il y avait un vide, laissé par le *Dictionnaire des Langages Oubliés*.

– La meilleure façon d'en savoir plus sur ces lieux, petite sœur, c'est de se plonger dans la vie d'Ulysse Moore.

– D'après Nestor, on devrait trouver ici l'arbre généalogique de la famille Moore, précisa Julia. Mais je ne vois rien de ce genre...

Ils se mirent en quête de ce qu'ils imaginaient être un épais livre poussiéreux. Au bout de quelques minutes, ils ouvrirent le filet de laiton qui retenait une série de livrets reliés dans un tissu noir. Au dos de chacun étaient imprimés un ou plusieurs chiffres dorés.

– Et si c'était ça ? hasarda Julia en s'emparant de l'exemplaire le plus récent.

Aucun titre ne figurait nulle part. Passé quelques pages blanches, le livret révélait cependant un arbre généalogique élégamment dessiné.

Plus loin, une photo en noir et blanc figeait un homme au regard sévère et aux grands favoris blancs dans son uniforme de l'armée britannique. La légende précisait son nom : Mercury Malcolm Moore. Il avait vécu au début du siècle dernier. Derrière lui, on distinguait une défense d'éléphant.

À la photo succédait une série de lettres et de documents variés, ficelés entre eux et séparés les uns des autres par un voile de papier, à la manière d'un album photos. On trouvait là des enveloppes affichant de vieux cachets de la poste et des timbres exotiques.

– On dirait que ce Mercury vivait en Inde ou quelque part par là…, fit remarquer Julia en parcourant rapidement les pages.

Après Mercury Malcolm Moore et sa correspondance, ils découvrirent un portrait de Thomas et Annabelle Moore en tenue de chasse. Une sélection de clichés, lettres et documents les concernant avait été précieusement conservé.

Jason attrapa un autre livret à la couverture noire et l'ouvrit.

Il recélait lui aussi des noms et des archives, le tout attaché et classé avec soin.

Les jumeaux s'installèrent sur le canapé pour les étudier.

– Celui qui les a confectionnés a dû passer un temps fou..., murmura Jason.

Il referma l'ensemble et ajouta :

– Mais on ne peut pas appeler ça un arbre généalogique à proprement parler ! C'est plutôt une collection de documents et de lettres ayant appartenu aux ancêtres de la famille...

– Justement..., l'interrompit Julia. Regarde un peu là-haut !

Jason leva les yeux au plafond.

Cinq grands médaillons y étaient peints. Des ramifications provenant d'un même tronc les reliaient les uns aux autres. Sur chaque branche étaient représentés des animaux et des fruits, tous aussi étranges les uns que les autres.

– Incroyable ! L'arbre généalogique ! Dire qu'il était au-dessus de notre tête ! s'exclama Jason. Cantarellus Moore... Tiberius et Adriana Moore... Xavier Moore...

Leur regard se promena de médaillon en médaillon avant de s'immobiliser sur le plus haut. Deux goélands blancs y figuraient, accompagnés de deux

noms : Ulysse et Pénélope, les derniers descendants de la dynastie.

– Splendide ! s'extasia Julia devant les animaux qui peuplaient la fresque.

– Comment on a fait pour ne pas l'apercevoir ? souffla son frère.

Les jumeaux retrouvèrent aisément sur les médaillons les noms des personnes dont les photos étaient insérées dans les livrets. Ils réalisèrent que l'arbre généalogique pouvait les aider à consulter les volumes.

– Regarde ! s'écria tout d'un coup Jason. L'arbre généalogique des Moore prend racine sur les carapaces de trois tortues ! C'est la troisième fois qu'on tombe sur ce symbole !

– Je ne te suis pas...

– Trois tortues sont gravées sur l'architrave de la porte de la grotte de Salton Cliff. On les a aussi retrouvées dans le Pays de Pount, dans la fameuse pièce, au pied de la statue des Fondateurs.

Jason fixait le plafond. Il scrutait méticuleusement les autres médaillons : dans chacun d'eux, il reconnut un animal ciselé sur les anneaux des quatre clés de la Porte du Temps.

– On tient enfin un indice !

Julia en avait la conviction, elle aussi. Mais, pour l'instant, elle ignorait où tout cela les conduirait.

Regardant mieux, Jason distingua dans la fresque la silhouette du *Métis* et d'une autre embarcation. On aurait dit un voilier. Il fit soudain le rapprochement avec les maquettes en bois de la pièce de la tourelle. Il sortit de la bibliothèque et regagna la porte au miroir, à côté de la cage d'escalier. Il l'ouvrit et monta dans la pièce qui dominait la baie de Kilmore Cove.

La petite tour était restée dans l'état où Nestor l'avait laissée la veille au soir. Le vieux jardinier avait pris soin de bloquer la fenêtre, empêchant ainsi son battant de claquer constamment, même si un mince filet d'air parvenait encore à passer. Des carnets de voyage et des cahiers étaient empilés par terre ; sur le coffre trônaient des maquettes de bateaux. Jason souleva celle de *L'œil de Néfertiti* et ne put s'empêcher de repenser au Grand Maître Scribe qui l'avait patiemment confectionnée. Il passa ensuite en revue les autres modèles réduits : une pirogue, une gondole, un petit voilier, un galion... Pour quelle raison certains bateaux étaient-ils représentés sur l'arbre généalogique ?

Julia rejoignit son frère et se déplaça d'une fenêtre à l'autre. Rick l'aperçut depuis la cour. Il la héla :

– J'ai fini de réparer mon vélo ! Vous venez me donner un coup de main pour les deux autres ?

Elle fit un signe de tête et prévint son frère :

– Rick a presque fini.

L'air déçu, Jason lâcha :

– Après tout, je me trompe peut-être. On a probablement déjà découvert tout ce qu'il y avait à voir dans la Villa Argo...

Julia n'en revenait pas. Son frère baissait les bras, alors qu'ils venaient de trouver des indices et qu'elle commençait à se passionner pour l'histoire de cette maison :

– Décidément, je ne te comprends pas. On a encore du pain sur la planche. Je te signale qu'il y a des centaines de livres qui nous attendent... sans compter ces carnets !

– On n'a pas le temps de tous les lire.

– Très bien ! Qu'est-ce que tu proposes, alors ?

– Une balade à vélo !

Chapitre 4
- Panne de freins -

En milieu de matinée, deux bicyclettes avaient été grossièrement remises en état. De la baie de Kilmore Cove montaient des éclats de rire amplifiés par la brise marine qui balayait ses côtes. Les mouettes, posées sur les rochers saillants de la falaise, se laissaient bercer par ce souffle venu du large.

Surveillés d'un mauvais œil par Nestor, qui, suant et soufflant, maniait sa brouette, les trois enfants s'attaquèrent gaiement au vélo de Mme Moore, dont seule la fourche avant était tordue. Dès que la roue se remit à tourner, Rick le jugea réparé.

Il fit quelques essais dans la cour. Les freins ne fonctionnaient pas bien, mais Jason accepta tout de même de le conduire.

Ils montèrent tous en selle.

– Nestor ! lança Jason. On y va !

– C'est hors de question ! Si vous croyez que je vais vous laisser filer avec ces vieux clous !

Le jardinier reposa sa brouette, épuisé. Ses yeux trahissaient son état fiévreux, il était essoufflé et des quintes de toux le malmenaient régulièrement.

– Vous ne devriez pas travailler autant, le sermonna Julia.

– Je suis bien obligé, je n'ai personne pour m'aider…

– Mais on est dimanche !

– Va expliquer ça aux arbres et à l'herbe qui pousse !

– Dites-moi, vous ne savez pas par hasard où habite le docteur Bowen ?

– Je n'en ai pas la moindre idée.

– Et Olivia Newton ?

– Non plus.

– J'avais pourtant cru comprendre que vous connaissiez tout le monde à Kilmore Cove !

– Eh bien, tu te trompes ! lâcha Nestor en toussant.

Et il tourna les talons. Rick perdit patience. Il appuya sa bicyclette sur sa béquille et entra dans la maison. Il en ressortit quelques minutes plus tard. Jason et Julia avaient abandonné leurs vélos dans un coin : ils tentaient en vain de soutirer des renseignements supplémentaires au jardinier.

– Le docteur Bowen habite tout près d'ici, annonça Rick. Sa villa s'appelle « Au Rossignol qui chante ». Elle est sur la falaise de Salton Cliff, un peu plus dans les terres. Il faut partir sur la droite.

Nestor tapa du pied, exaspéré :

– Tu es bien informé !

– J'ai appelé ma mère.

– Ah, impossible de garder un secret aujourd'hui ! soupira le jardinier.

– Et pourquoi vouliez-vous nous cacher son adresse ?

Nestor resta silencieux, comme s'il cherchait à formuler la meilleure réponse possible. Il finit par grommeler, très énervé :

– Et, surtout, ne m'achetez pas ce fichu sirop ! Je n'ai pas besoin de médicaments !

– Ça sera au médecin d'en décider ! rigola Jason.

Il remonta sur le vélo de Mme Moore et se dirigea vers le portail, suivi par ses deux compères.

– NE VOUS AVISEZ PAS ! s'égosilla Nestor. JE N'AI JAMAIS PRIS DE...

Il toussa à s'arracher les poumons, plié en deux.

Quand il releva la tête, le trio avait disparu.

– AAAAAH ! AU SECOUOUOURS ! hurla Jason, filant sur la route de Salton Cliff, loin devant sa sœur et Rick. JE N'ARRIVE PAS À FREINER !

Julia éclata de rire, contrôlant la vitesse de sa lourde bicyclette bringuebalante. Rick, qui connaissait bien les embûches de ce parcours, essaya de rattraper son ami, tout en lui criant de s'aider de ses pieds pour ralentir.

– JE NE PEUX PAS, JE VAIS ME CASSER LA JAMBE ! répondit Jason, qui tentait de zigzaguer tant bien que mal.

Il franchit le premier virage à la vitesse de l'éclair.

Derrière lui, Rick voyait l'asphalte noir défiler à toute allure sous ses roues. Il avait de plus en plus de difficultés à maîtriser sa bicyclette : le guidon vibrait de façon anormale, et il avait l'impression que la roue avant allait se détacher d'une minute à l'autre.

Lorsqu'il arriva à la hauteur du premier tournant, Jason amorçait déjà le deuxième. Il le vit se déporter sur l'autre voie pour perdre de la vitesse, puis disparaître en poussant des cris de Sioux. Par chance, aucune voiture ne remontait en sens inverse.

Rick s'assura que Julia n'avait pas de problème ; puis il se pencha sur son guidon et fonça. Chaque courbe de la route l'éloignait un peu plus de la falaise blanche et le rapprochait du village.

Au deuxième lacet, le jeune rouquin constata avec dépit que son ami avait conservé son avance. Jason avait désormais atteint la vitesse d'un sprinter, et ses hurlements lointains trahissaient un mélange d'enthousiasme et de peur.

Rick serra les dents. L'idée de devoir accélérer davantage l'effrayait, mais il n'avait pas le choix. Son polo se gonfla sous l'effet de la vitesse.

Lorsqu'il aperçut Jason couper le troisième tournant à l'aveuglette, il refusa de voir ce spectacle et ferma les yeux quelques secondes. Quand il les

rouvrit, il filait droit sur le coude du virage. Malgré les secousses, il distingua un pré à sa droite et la mer à sa gauche. Décidant de ralentir, il fit grincer ses freins et attendit que Julia le rejoigne. Il lâcha le guidon d'une main et la mit en cornet :

– La maison du docteur Bowen est juste derrière le tournant. Là, à droite !

Julia lui fit un signe de la tête tout en se cramponnant à son guidon :

– Espérons que Jason l'a vue !

Rick et Julia abordèrent à leur tour le troisième virage. À peine l'avaient-ils négocié que leur regard fut attiré par le cadre du vélo de Jason dépassant du fossé, les deux roues en l'air.

– Oh, non ! gémit Rick en mettant pied à terre.

La roue arrière tournait encore à vive allure. La bicyclette n'était qu'un enchevêtrement de ferraille. Quant à son conducteur, il était recroquevillé dans l'herbe, un peu plus loin.

– JASON ! QU'EST-CE QUI S'EST PASSÉ ? hurla sa sœur, dans tous ses états.

Elle sauta de sa selle et se précipita vers lui.

Jason sursauta, puis se retourna.

– J'ai freiné, et j'ai été projeté par-dessus le guidon ! expliqua-t-il, un grand sourire aux lèvres.

Son pantalon et son polo étaient maculés d'herbe, mais il avait l'air de se porter comme un charme. Il leur désigna à quelques mètres de là le portail qu'il venait de percuter. Son bois peint en bleu était surmonté d'un motif floral en forme de « B ».

– Je vous présente la maison du docteur Bowen ! annonça-t-il, triomphant.

Chapitre 5
- Le téléphone en bakélite noire -

Nestor s'assura que les enfants étaient bien partis avant d'abandonner sa brouette au beau milieu de la cour et de rejoindre la dépendance. Il prit soin de verrouiller la porte, de tirer les rideaux et s'approcha du téléphone en bakélite noire. Il en avait une sainte horreur. D'une façon générale, il détestait les appareils électriques et tout ce qui était relié à un fil s'enfonçant dans les profondeurs de la terre.

Il lui fallait pourtant appeler. Tout allait beaucoup plus vite que prévu. Et, plus les heures passaient, plus le jardinier était intimement persuadé d'avoir commis une erreur. Une erreur irrémédiable.

Depuis qu'il avait entendu le récit des garçons et compris de quelle manière cette sorcière d'Olivia Newton s'était emparée de la carte, Nestor ne parvenait pas à s'ôter cette idée de la tête.

De nombreux détails ne lui plaisaient pas. Pourquoi la carte n'était-elle pas à sa place ? Qui l'avait déposée en Égypte, dans la pièce qui n'existe pas ? Qui avait érigé le mur contre lequel les enfants avaient buté après avoir passé la porte de la grotte de Salton Cliff ?

Personne ne l'avait averti.

Il ignorait tout cela.

Une seule personne était capable de pareils agissements : Olivia Newton.

Mais, au dire des enfants, il semblait qu'elle ait été elle-même surprise de découvrir la niche des Quatre Bâtons vide.

Que fallait-il en conclure ?

Que les choses ne fonctionnaient pas comme prévu. Il y avait eu des modifications, et personne ne l'avait prévenu.

— C'est décidé : j'appelle !

Il effleura le téléphone. Il hésitait entre rester debout et s'asseoir. Il avait des fourmis dans les doigts, comme à chaque fois qu'il était tendu. Il souleva le combiné, se ravisa et raccrocha. On aurait dit qu'il cherchait à demander la permission à quelqu'un présent à ses côtés. Il finit par composer un tout autre numéro.

— Déménagements Homer & Homer, répondit une secrétaire.

— Bonjour, madame ! Je voudrais parler au responsable, s'il vous plaît...

— Je suis désolée. Le directeur est absent. Il est en...

— Je suis son frère. Pouvez-vous l'avertir ?

— Un instant, je vous prie..., capitula l'assistante.

Elle le fit patienter sur un fond de musique de supermarché. Enfin, la voix d'Homer se fit entendre :

– Salut, frérot !

– Salut ! Dis-moi, il n'y a pas moyen d'éviter le barrage de ta secrétaire ?

– Qu'est-ce que tu veux : elle est bien obligée de filtrer ! Si tu savais le nombre de gens qui me font perdre un temps fou ! Je t'écoute. Non, attends, j'ai quelque chose à te dire : les Covenant sont furieux. Si l'on continue à ce train-là, ils vont résilier le contrat et s'adresser à d'autres déménageurs.

– Alors, on va arrêter de leur mettre des bâtons dans les roues ! Mais, dans l'immédiat, j'ai besoin que tu les retiennes encore une journée à Londres. Juste une. Ça m'arrangerait.

– Très franchement, je ne sais pas si je vais y arriver…

– Allez, je te fais une rallonge de trois cents livres !

– Marché conclu !

– Si tu apprends qu'ils veulent rentrer plus tôt, passe-moi un coup de fil !

– D'accord, chef !

– Cesse de m'appeler ainsi, s'il te plaît !

– Comme tu veux, frérot !

– Arrête avec ces diminutifs ridicules ! lança Nestor avant de raccrocher.

Son frère l'agaçait par ses petits travers, mais il avait néanmoins le tact de ne pas poser de questions embarrassantes. Et de ne pas chercher à savoir pourquoi il était payé pour effectuer un déménagement le plus lentement possible.

Nestor marcha de long en large dans la pièce, puis revint vers le téléphone. Il décrocha et fit le numéro sans hésiter. Toutes ces années ne l'avaient pas effacé de sa mémoire.

La sonnerie retentit à l'autre bout de la ligne.

– Il n'y a personne..., murmura le vieux jardinier en tapotant sur la table.

Il écarta les rideaux, jeta un coup d'œil dehors, puis les referma.

Juste au moment où il allait raccrocher, une voix d'homme grave et caverneuse répondit :

– Allô, oui ?

– Salut, Léonard, dit Nestor en se balançant d'une jambe sur l'autre.

Son interlocuteur marqua une longue pause.

– Je sais, ça fait longtemps...

– C'est le moins qu'on puisse dire ! rétorqua Léonard Minaxo, le gardien du phare de Kilmore Cove. Et que me vaut cet honneur ?

– Les clés sont de nouveau en circulation.

Silence.

– Combien ?

– Quatre plus une. Ou deux.

– Qui les a ressorties ?

– Je l'ignore. Mais elles sont à Kilmore Cove.

– Qui les a ?

– Trois gamins. Et la voleuse.

– Et les gamins, ils sont dans quel camp ?

– Ils sont en train de le découvrir...

*U*ne voix féminine répondit à l'interphone sur un ton guilleret. À peine les enfants eurent-ils demandé à parler au docteur Bowen qu'un *bzzz* électrique retentit, et le portail coulissa, révélant une banale allée de gravier blanc.

– Ils aiment les nains, dites-moi ! remarqua Julia.

Ils traversèrent le jardin, agrémenté par ailleurs d'une balançoire, d'un puits rond et d'une fausse carriole en bois fleurie de pervenches.

– Par ici, les enfants ! indiqua depuis la porte d'entrée la voix haut perchée.

Des dalles ne tardèrent pas à remplacer le gravier.

La porte s'entrouvrit avec le doux tintement d'un *chimes* oriental [1], et le visage pâle d'une femme apparut dans l'embrasure. Ses traits émaciés contrastaient avec l'abondante toison ondulée, qu'elle avait méticuleusement relevée en un chignon mousseux. Elle brandissait deux paires de chaussons bleus en éponge. Voyant les enfants, elle poussa une exclamation et en prit une troisième.

---

1. Généralement suspendu au plafond, ce petit instrument est composé de baguettes de bambou ou de métal disposées en ordre décroissant. En s'entrechoquant, les éléments produisent un cliquetis qui s'apparente au son d'une percussion.

Jason et Rick firent lâchement un pas en arrière et laissèrent à Julia le soin d'expliquer le motif de leur visite.

– Bonjour, madame, commença la jeune fille, excusez-nous de vous déranger... On aimerait voir votre mari pour...

– Vous ne me dérangez pas du tout. Entrez, les enfants ! fit la femme d'un air enjoué. Soyez gentils d'enfiler ces chaussons. Je viens de cirer...

– Bien sûr !

Mme Bowen resta plantée là, veillant à ce que ses visiteurs se déchaussent.

– Que t'est-il arrivé, mon chéri ? demanda-t-elle à Jason en observant son pantalon et son polo maculés de boue.

Le garçon lui raconta brièvement sa chute. Mme Bowen secoua la tête, désolée, et s'exclama :

– Mon Dieu ! Attends-moi un instant !

Elle disparut à l'intérieur.

– Tu as vu sa coiffure ? On dirait qu'elle a une choucroute sur la tête ! pouffa Jason en donnant des coups de coude à Rick.

– J'ai l'impression qu'on est tombés chez une fée du logis, murmura Julia, qui avait déjà jeté un coup d'œil furtif à l'intérieur. Vous vous rendez compte : je vois mon reflet sur le sol !

Mme Bowen réapparut, un peignoir en piqué blanc à la main. Elle le tendit à Jason :

– Assieds-toi et mets ça !

Le garçon l'enfila avec la même précaution que s'il s'était agi d'un vêtement porté par un pestiféré. Il suivit ensuite son hôtesse et ses compagnons en marmonnant :

– C'est très gentil à vous, je vous remercie. Mais, vous savez, je ne saigne pas...

La maison brillait dans les moindres recoins. Les enfants, désormais habitués aux plafonds en vieilles pierres ou en briques de la Villa Argo et à ses fresques, furent frappés par la blancheur clinique des murs et le parquet lustré à outrance.

Les rares meubles présents dans cet intérieur aseptisé ne parvenaient pas à l'égayer. Ici, des chaises rustiques à motifs floraux semblaient tout droit sorties d'un chalet de montagne. Là, de grands plateaux en verre ou en aluminium servant de tables renforçaient cette sensation étrange d'être en milieu hospitalier. Côté éclairage, on était loin des abat-jour et des lustres en pâte de verre ou en laiton de la Villa Argo : des spots vissés aux quatre coins de la pièce envoyaient leurs rayons implacables.

Le docteur Bowen était installé au salon. Vautré dans un fauteuil tyrolien, il était plongé dans la lecture d'une revue de mots croisés. C'était un homme entre deux âges. Il affichait l'air résigné de ces enfants qui n'ont jamais le droit d'aller patauger dans la gadoue avec les gamins du voisinage.

Telle était du moins l'impression qu'il fit à Jason.

– Bonjour ! les salua-t-il avec amabilité. Quel bon vent vous amène ?

Mme Bowen lui expliqua l'affaire en détail, ne laissant pas les jumeaux et Rick en placer une.

– Et dans quel état est ton vélo ? demanda son mari, curieux, à Jason.

– Il est dans le fossé, juste devant. Je ne peux plus m'en servir.

– Quel dommage ! Je suis désolé.

– Je ne suis pas blessé, c'est l'essentiel, crut bon de rappeler Jason.

– C'est ce que je constate, en effet. Dis-moi, Edna…, fit le médecin en s'adressant à sa femme, avons-nous gardé l'ancienne bicyclette de notre fille ?

La voix d'Edna trahissait une certaine appréhension :

– Bien sûr ! Elle est dans le garage. Je l'ai bâchée pour qu'elle ne rouille pas.

– Notre fille a quarante ans et vit à Londres, précisa son mari. Je ne crois pas qu'elle s'en resserve un jour... Nous pourrions peut-être la prêter à ces jeunes gens. Qu'en penses-tu, ma chérie ?

– Ah ! fit Mme Bowen pour toute réponse.

Il était évident que l'idée la froissait.

– Pourquoi ne vas-tu pas la chercher ? De toute façon, je ne vois pas l'intérêt de la conserver si précieusement...

Mme Bowen essaya une dernière fois de faire comprendre ses réticences à son époux, mais celui-ci campa sur ses positions. Après lui avoir lancé un regard assassin, elle s'éloigna, son imposante coiffure tremblant tel un pudding.

M. Bowen attendit que la porte d'entrée claque avant d'interroger le trio :

– Comme ça, Nestor est malade ?

– Oui ! Il n'arrête pas de tousser et d'éternuer, il a les yeux brillants.

– Vous devriez venir l'ausculter...

Le docteur Bowen rigola :

– L'ausculter ? Vous plaisantez ! Aucun médecin n'a jamais pu l'approcher ! De toute ma carrière, je n'ai pas le souvenir d'avoir vendu le moindre comprimé aux habitants de la Villa Argo. Ou plutôt, si..., rectifia-t-il. Je me rappelle qu'un jour Nestor est venu me réclamer une crème solaire, soi-disant pour Mme Moore.

Il fut secoué par un nouvel éclat de rire :

– Il a choisi l'indice de protection le plus élevé, un écran total pour conditions climatiques extrêmes ! Mme Moore devait avoir une peau bien délicate, pour craindre des coups de soleil à Kilmore Cove !

– C'est sûr..., firent Jason et Rick avec un sourire pincé.

– Il est revenu pour un sérum anti-venin. Oui, c'est ça ! Mis à part ces deux cas, pas une seule fois je ne leur ai prescrit quoi que ce soit. Je ne vois donc pas comment je parviendrais à administrer un traitement au vieux jardinier ! Est-ce qu'il est toujours aussi pénible ? Du temps de M. et Mme Moore, il avait déjà un sacré caractère, alors, là, je n'ose même pas imaginer...

– Il suffit de savoir le prendre..., le défendit Julia.

– Il est de la vieille école, poursuivit M. Bowen. Il n'a pas confiance en la médecine. À mon avis, il a une dent contre les docteurs. C'est à cause de sa jambe. Vous avez remarqué comme il boite ? Je suis persuadé qu'il souffre d'une fracture mal soignée. Cela ne l'a pas empêché de jardiner pendant toutes

ces années, ni de se rendre au village à vélo pour faire les courses et donner des nouvelles des Moore, que personne ne voyait.

– Vous n'êtes jamais monté jusqu'à la Villa Argo ?

– Si, bien sûr, mais je ne suis pas entré dans la maison. À une époque, Edna était passionnée de randonnée. On allait souvent se balader le long de la falaise. Une fois ou deux, on a trouvé le portail de la propriété ouvert et on a échangé quelques mots avec Nestor. On parlait de la météo et de la meilleure période pour planter les pervenches. Parfois, on saluait de loin les Moore, qui descendaient à leur petite plage privée.

– Comment étaient-ils ?

– C'étaient des gens très discrets. On sentait une grande connivence entre eux. Si on n'avait pas vu régulièrement Nestor faire le ravitaillement pour tous les trois, on aurait pu penser qu'ils ne vivaient pas à Kilmore Cove.

Cette remarque mit Jason mal à l'aise. Il gigota, empêtré dans son peignoir, et ses chaussons crissèrent sur le parquet.

Laissant le docteur Bowen s'étendre sur l'extrême discrétion des Moore, il se mit à scruter la pièce, à la recherche d'un indice qui lui permette de relier ce placide médecin et l'auteur de la mystérieuse carte.

Cependant les cadres accrochés au mur ne renfermaient que des ouvrages brodés au point de croix.

– Nous sommes venus vous déranger un dimanche pour une autre raison..., finit par confesser Jason.

– Je vous écoute...

– Est-ce que le nom de Thos Bowen vous dit quelque chose ?

– Thos Bowen...

Le médecin réfléchit un instant avant de répondre :

– Oui, c'est un de mes ancêtres !

Les enfants échangèrent un regard complice.

– Un drôle de type, d'ailleurs, poursuivit le médecin. Il était cartographe.

– C'est ça ! C'est bien lui ! exulta Jason, incapable de maîtriser son enthousiasme.

Le docteur Bowen le regarda, médusé :

– Et comment se fait-il que vous connaissiez mon aïeul ? Savez-vous que vous êtes dans sa maison ?

– Ça tombe bien ! lâcha Rick.

– Vous n'avez pas conservé par hasard certains de ses travaux... euh, certaines de ses cartes ? osa demander Jason.

– Non, on n'a rien gardé ! rétorqua du tac au tac leur hôte. Lorsque nous avons emménagé ici, Edna n'avait aucune envie de s'installer dans une vieille

maison insalubre et sale, infestée d'insectes et de je ne sais quelles autres bestioles.

– Je croyais que vous aviez repris la maison de Thos Bowen...

– C'est exact. Seulement, nous l'avons récupérée des années, que dis-je, des siècles après sa mort ! Oui, la construction remonte à Napoléon Bonaparte ! Napoléon, vous vous rendez compte ? À notre arrivée, nous avons donc rasé la maison d'origine et fait construire cette nouvelle villa, dotée de toutes les commodités. Enfin presque. Comme tout le monde à Kilmore Cove, on ne désespère pas un jour d'avoir le câble...

Jason se laissa tomber sur le canapé :

– Vous voulez dire qu'il ne vous reste plus aucune affaire de Thos Bowen ?

– Fort heureusement, non ! Vous ne pouvez pas imaginer tout ce qu'on a trouvé ! Il y avait des tonnes de cartes et de papiers poussiéreux, des malles, de vieux vêtements, des tas d'horreurs... Edna n'a même pas daigné les toucher avec des gants. On a fait place nette.

– Aaaaaaaah... ! gémit Jason en s'affaissant sur les coussins. Ce n'est pas possible ! Je ne me sens pas bien !

Le médecin devina que le garçon jouait la comédie :

– Qu'arrive-t-il à votre ami ?

– C'est un peu difficile à expliquer..., commença Julia. Disons qu'on espérait trouver des renseignements sur une carte dessinée par votre ancêtre.

– Une carte de Kilmore Cove, précisa Rick.

– Ah ! Vous voulez parler de celle de la cuisine ! s'exclama le généraliste.

Jason rouvrit les yeux :

– De la cuisine ?

Le docteur Bowen s'extirpa tant bien que mal de son fauteuil et les guida. La pièce était tellement astiquée qu'on se serait cru devant la photo d'un magazine de décoration. L'unique objet qui égayait cette pièce glaciale était une aquarelle représentant la baie de Kilmore Cove. Accrochée au-dessus de la table du petit déjeuner, elle était mise en valeur par un élégant cadre doré.

– La carte était là, à la place de ce tableau, fit le docteur Bowen en pointant du doigt la peinture. Je m'en souviens très bien. C'était une vue aérienne de la côte et des anciennes maisons de Kilmore Cove.

« Nous y voilà », pensa Jason, un pincement au cœur.

– Qu'est-elle devenue ?

– Ah, c'est une vieille histoire ! Je ne me rappelle plus exactement...

– Je vous en prie ! C'est important !

À ce moment-là, Edna Bowen fit irruption dans la cuisine :

– J'ai sorti la bicyclette... Je l'ai laissée dans le jardin, annonça-t-elle d'un ton acide.

Puis elle alla se laver les mains, les frottant et refrottant de façon obsessionnelle.

– Edna ! Tu tombes à pic ! Tu ne saurais pas où est passée la carte qui était accrochée dans la cuisine ?

– Cette espèce de croquis incompréhensible ? On l'a donnée au gardien du phare il y a plusieurs années. Ah, non, je me trompe, c'était à Pénélope Moore !

– Ça me revient... L'histoire de la morsure de requin ! Suis-je donc idiot ! Je l'avais complètement oubliée...

Les enfants étaient suspendus à ses lèvres.

– Voilà..., reprit-il. Vous connaissez le gardien du phare ?

– Mes amis, sûrement pas, répondit Rick. Ils viennent d'arriver ici. Moi, oui. C'est M. Minaxo.

– Voilà pourquoi je n'arrivais pas à remettre un nom sur leur visage ! s'exclama Edna.

Prise d'une illumination soudaine, elle ajouta :

– Vous êtes les jumeaux londoniens ?

– C'est exact, confirma Julia.

– Tu as compris, Roger ? Ce sont les enfants des nouveaux propriétaires de la Villa Argo. Gwendoline m'a parlé d'eux hier, quand elle est venue me coiffer...

– Ah ! Rien ne lui échappe, à celle-là ! Une vraie agence de renseignements ! plaisanta le docteur Bowen avant de souhaiter la bienvenue à Jason et Julia en bonne et due forme.

Les jumeaux lui répondirent par un sourire furtif et revinrent à la charge :

– Vous étiez en train d'évoquer le gardien du phare...

Edna se sécha les mains et poursuivit :

– Oui, il est venu consulter mon mari pour une vilaine blessure au bras. Il avait fait une mauvaise rencontre... Un requin...

– Non, Edna, c'est au visage et à l'œil qu'il était blessé, rectifia le médecin.

– C'était dimanche, mais mon mari a quand même accepté de le soigner.

– Il était sur le point de perdre son autre œil aussi... Il saignait beaucoup... C'est Mme Moore en personne qui l'a amené en side-car. Ils arrivaient directement de la falaise. Pénélope Moore m'a raconté... Quoi au juste ?... Ah oui ! Qu'elle l'avait trouvé sur la plage. Ce fut une opération extrêmement délicate. Heureusement, j'ai pu sauver son deuxième œil. Je lui ai recousu la joue tant bien que

mal. Ce n'était pas de la chirurgie esthétique, mais, au moins, j'ai stoppé l'hémorragie.

– Quand je pense que tu ne lui as rien fait payer ! intervint Mme Bowen. Roger est comme ça : toujours généreux, même quand il ne devrait pas...

Edna Bowen avait le regard rivé sur la bicyclette appuyée contre l'un des nains dans le jardin.

– Tu oublies, ma chérie, que les Moore se sont montrés très reconnaissants... La semaine suivante, ils sont revenus en side-car. Ulysse est resté dehors. Il portait un drôle de casque, un de ces modèles de la Seconde Guerre mondiale, et il était emmitouflé dans une grande écharpe blanche qui lui couvrait la moitié du visage. Pénélope, elle, est entrée. Elle m'apportait le tableau que vous voyez. On l'a accroché ici, car on ne savait pas où le mettre.

Edna expliqua aux enfants :

– On n'a jamais raffolé de ce genre de chose. Il faut dire que, soit les tableaux sont hideux, et ils ne font qu'attirer la poussière ; soit ils sont beaux, et ils appâtent les cambrioleurs, qui saccagent votre maison par la même occasion. C'est arrivé à ma mère, quand nous habitions à Clonakilty.

Elle soupira :

– Celui-ci, c'était différent. On devait absolument

le suspendre, parce que c'était Mme Moore qui l'avait peint.

Julia sursauta et fixa l'aquarelle de la baie de Kilmore Cove :

– C'est vraiment Pénélope Moore qui l'a fait ?

– Oui, oui, je vous assure ! Elle se débrouillait bien, non ?

Le médecin contempla la toile avec une pointe de mélancolie :

– C'était une femme tellement charmante ! Ils formaient un si beau couple ! Quel malheur !

– Et la carte ? insista Jason.

– La carte ? Eh bien, nous l'avons donnée à Pénélope en échange de sa peinture, avoua Edna. Ça m'a permis de m'en débarrasser !

Les enfants se regardèrent, interloqués.

– À vrai dire, on ne lui a pas fait ce cadeau par hasard, poursuivit la femme du médecin. Mme Moore l'avait repérée dans la cuisine pendant l'opération du gardien du phare. Elle m'avait interrogée à ce sujet. J'avais remarqué que la carte l'intéressait. Quand elle est venue m'offrir cette aquarelle, j'en ai donc profité pour la lui offrir.

– Un échange de cadeaux de famille, en quelque sorte ! lança M. Bowen.

Jason n'y comprenait plus rien. Il ne voyait pas quel pouvait être le rapport entre cette carte, Pénélope Moore et... Olivia Newton.

– Pourquoi s'intéressent-ils tous à un simple plan de Kilmore Cove ? fit-il, pensif.

– Je me suis toujours posé la question, rebondit le docteur Bowen. Je l'ai dit l'autre jour à cette dame. Comment s'appelait-elle déjà, chérie ?

– Gwendoline l'appelle Mlle Tatillon. C'est une millionnaire, lâcha Edna. Je n'ai rien contre les gens riches, mais...

– Une certaine Olivia Newton ? hasarda Julia.

– Vous la connaissez ?

– Elle est venue ici ? Quand exactement ?

– Tu t'en souviens, Edna ?

Mme Bowen consulta le calendrier aimanté sur le réfrigérateur :

– C'était le mois dernier.

– Je parie qu'elle aussi vous a demandé où était la carte.

– Effectivement.

Edna ne put s'empêcher d'ajouter :

– Si on s'était doutés qu'elle avait autant de valeur, on l'aurait gardée.

– Mlle Newton a prétendu qu'il s'agissait d'une pièce unique, renchérit le docteur Bowen sur un ton railleur. Elle n'a pas réussi à en dénicher une autre de Kilmore Cove. Elle a cherché dans toute l'Angleterre, même à Londres, vous vous rendez compte ! Elle était prête à débourser un million de livres sterling ! Elle devait plaisanter...

– Peut-être pas..., murmura Jason.

Il fouilla dans la poche de son peignoir et en ressortit un bigoudi.

– Vous savez où habite Mlle Newton ? intervint Rick, qui n'avait pas beaucoup ouvert la bouche jusque-là.

– Moi ? Non, je l'ignore ! Renseignez-vous auprès de Gwendoline, la coiffeuse ! Elle va régulièrement lui couper les cheveux à domicile.

– Olivia vit donc à Kilmore Cove ?

– Pas tout à fait. Elle habite dans les parages, n'est-ce pas, mon chéri ?

– Il me semble, en effet, fit le docteur, pressé de se replonger dans sa revue préférée. D'ailleurs, il est difficile d'affirmer qu'untel ou unetelle habite à Kilmore Cove. Il n'y a aucun panneau indicateur par ici ! Vous en avez vu un à l'entrée ou à la sortie du village ?

– À bien y réfléchir, non, aucun, reconnut Rick, perplexe.

– Et pour cause : il n'y en a pas. On ne va pas se plaindre... L'essentiel, c'est d'avoir une route !

– Et où pouvons-nous trouver Gwendoline ?
demanda Jason.

– Je le sais, répondit Rick.

– Elle tient un salon en ville, affirma Mme Bowen,
en rajustant sa coiffure. Vous n'aurez pas de mal
à reconnaître sa devanture. Il y est écrit : « Coiffeur-
Visagiste, prestations haut de gamme ». C'est ouvert
même le dimanche.

– M'autorisez-vous à regarder le tableau d'un peu
plus près ? s'enquit Julia au moment où la conversation commençait à retomber.

– Bien entendu !

Pendant que Rick et Jason s'entretenaient avec
les Bowen, elle s'approcha de l'aquarelle. Il fallait
reconnaître que la femme de l'ancien propriétaire de
la Villa Argo avait l'art de mélanger les couleurs pastel, créant une harmonie parfaite. Seule la mer tran-
chait par son bleu foncé, profond et vibrant. Dans le
ciel sans horizon, le pinceau de Mme Moore avait
transformé les mouettes en de simples virgules
blanches. Les maisons de la baie de Kilmore Cove
venaient peaufiner l'ensemble de touches bleues,
roses et jaunes.

Julia eut l'impression de sentir un léger parfum

émaner du tableau. Elle colla son nez contre la toile, l'huma, puis recula.

Cette peinture était décidément magnifique.

Elle la fixa de longues minutes, avant que son regard ne soit attiré par la signature apposée en oblique : *P. S.*

– P. S. ? s'interrogea-t-elle à voix haute.

– Pénélope Sauri, la renseigna aussitôt Mme Bowen. C'est le nom de jeune fille de Mme Moore. Elle était italienne.

Encore envoûtée par le tableau, Julia se contenta d'acquiescer. Puis, cédant à une soudaine intuition, elle souleva le cadre :

– Vous permettez ?

Le cœur battant, elle le retourna : un petit objet avait été scotché au dos. Elle le détacha avec précaution.

Les autres s'approchèrent :

– Fais voir !

Julia examina sa trouvaille. Était-ce un boulon, un pignon, ou... ?

– Qu'est-ce que c'est ? lança la femme du médecin, avant d'aller chercher un chiffon pour astiquer le cadre.

C'était un drôle d'objet d'environ dix centimètres de haut. Une sorte de ressort, reposant sur

un piédestal de velours vert et supportant une espèce de couronne.

– On dirait un pion, fit Rick en l'observant sous toutes les coutures.

– C'est bien possible, confirma Jason. Un pion fait avec du matériel de récupération.

– Ça ressemble à la dame d'un jeu d'échecs.

Jason se gratta la tête, perdu dans ses pensées :

– Un pion caché derrière un tableau offert par Pénélope Moore en remerciement des soins prodigués au gardien du phare. Hm, hmm...

– Je veux bien, mais où tout ça nous amène ? fit Rick, toujours aussi pragmatique.

– Au village, bien sûr !

Ils empruntèrent la pièce aux Bowen et sortirent par le jardin.

Chapitre 7
- Un nouveau look -

PARADIS ROSE »

RUE STUBBORN

ÉCOLE PRIMAIRE
ET COLLÈGE

...RIE

...OLINE MAINOFF

AUBERGE
« AU GRAND LARGE »

Coiffeur...

RUE...

PO...

16 rue Saint-Patrick – 74620 Killmore Cove

PETIT QUA...

*J*ulia hurla à son frère :

– Allez ! Vas-y ! Personne ne te regarde...

Exaspéré, Jason donna un bon coup de pédale, déclenchant par la même occasion un incroyable tintamarre.

Sa nouvelle bicyclette était un peu spéciale, à l'image de ses précédents propriétaires. D'un rose tyrien soutenu, elle était dotée d'un guidon en forme de papillon et d'une série de petites clochettes bruyantes suspendues aux pédales.

Dès que les premières maisons de Kilmore Cove furent en vue, Jason descendit de vélo.

– On est arrivés ! déclara-t-il. Je continue à pied !

Devant sa mine renfrognée, sa sœur éclata de rire.

– Oh, ça va ! Ce n'est pas marrant ! se vexa-t-il. Je n'ai pas du tout envie qu'on me voie sur cet engin ! Tu ne voudrais pas échanger ? Je te signale que c'est un modèle pour femme !

– Hé ! Tu oublies que c'est toi qui as cassé l'autre bicyclette ! C'est donc toi qui prends celle des Bowen, n'est-ce pas, Rick ?

Pour toute réponse, leur ami rigola, donnant ainsi raison à Julia et passant pour un traître aux yeux de Jason.

Ils croisèrent un groupe de pêcheurs qui bavardaient sur de vieux transats brinquebalants. Jason fit un effort considérable pour pédaler devant eux la tête haute et l'air détaché. Il devina que les ricanements qui suivirent lui étaient destinés.

Guidés par Rick, les jumeaux quittèrent la route principale. Ils bifurquèrent dans une des ruelles menant au centre du village.

La chaussée, pavée, était bordée de maisonnettes blanches aux volets bleus et jaunes, et aux balcons regorgeant de fleurs parfumées.

La rue les conduisit devant une pâtisserie, qui diffusait une irrésistible odeur de viennoiseries, puis devant une marchande de fruits et légumes assise dehors, au soleil. Cette dernière salua chaleureusement Rick, son amie et leur compagnon à la curieuse bicyclette rose...

Le trio déboucha sur une grande place ronde. Au milieu trônait la statue équestre du roi William V. Ce monument imposant et majestueux représentait le souverain à cheval se dirigeant vers la mer. Jason et Julia, qui découvraient l'œuvre, la trouvèrent fascinante : ils avaient l'étrange impression de l'avoir déjà vue quelque part.

Rick les fit poursuivre jusqu'à une autre petite place, plus en retrait. Une auberge y avait disposé ses tables. Après avoir demandé son chemin au serveur, le garçon remonta en selle. Il s'arrêta à

quelques mètres d'une devanture reconnaissable à ses deux stores.

– Nous y sommes! annonça-t-il. Ça devrait être le salon de Gwendoline Mainoff…

Sur l'un des stores, on pouvait lire : « Coiffeur-visagiste, prestations haut de gamme », et sur l'autre : « Barbier et coiffeur pour hommes ». Chaque enseigne possédait sa propre vitrine et sa propre entrée.

– Par quel côté commence-t-on? s'interrogea Rick.

– J'ai bien envie d'aller voir par là, répondit Julia en désignant le salon pour femmes.

Elle appuya sa bicyclette contre le mur et écarta le rideau de perles en plastique qui en marquait le seuil.

– Très bien. Je vais jeter un coup d'œil chez les hommes! déclara Rick.

Jason resta dehors à surveiller les vélos.

– Bonjour, madame! lança Gwendoline, à peine Julia avait-elle franchi le rideau. Euh… salut!

C'était un joli brin de fille que la nature avait dotée de grands yeux immenses et d'un sourire radieux. Son visage était mis en valeur par une luxuriante chevelure brune.

– Salut! répondit Julia.

– Assieds-toi, je t'en prie!

La coiffeuse lui désigna une chaise devant un miroir.

– Je suis à toi dans quelques minutes...

Elle s'éclipsa par la porte menant dans le local adjacent pour accueillir Rick.

– Bonjour ! fit-elle, tout en l'observant attentivement. Tu ne serais pas le fils de Mme Banner ?

– Si, si, en effet.

– Ah, ta mère ne tarit pas d'éloges sur toi ! Elle n'arrête pas de répéter que tu es adorable et que tu travailles très bien à l'école ! Si cela ne te dérange pas, je vais te faire patienter un instant. J'ai une cliente à côté...

Rick jugea opportun de la prévenir que Julia et lui étaient ensemble. Gwendoline interpréta mal l'information : elle imagina immédiatement une idylle entre les jeunes gens et se réjouit à l'avance de faire circuler ce nouveau potin.

– Je comprends... Suis-moi ! fit-elle en le précédant dans l'autre salon.

– Dites-moi, la questionna Rick, pourquoi avez-vous deux salons distincts ?

Gwendoline ne put s'empêcher de rire :

– Tout simplement parce que les femmes détestent que les hommes les voient avec des bigoudis sur

la tête, et que leurs maris n'aiment pas se faire tailler la barbe par une coiffeuse pour dames !

– C'est vrai ! confirma Julia, s'attirant par la même occasion la sympathie de Gwendoline.

– Qui je coiffe en premier ? s'enquit la jolie brunette, ciseaux et peigne à la main.

– Euh... En fait, on...

La jeune femme recula pour mieux dévisager la nouvelle venue :

– Attends un peu ! Tu ne serais pas la jumelle de Londres ?

– En personne ! Julia Covenant. Enchantée !

Tout en serrant la main de la jeune fille, Gwendoline adressa à Rick un regard lourd de sous-entendus, l'air de dire : « Bonne pioche, mon garçon ! »

– Et ton frère, où est-il ?

– Dehors. Il surveille les vélos.

Gwendoline écarta le rideau et invita Jason à entrer. Lui, qui s'était jusque-là toujours montré réticent à pénétrer dans ce genre d'endroit, changea d'avis en découvrant la patronne.

– C'est ravissant par ici..., glissa-t-il à Rick au passage.

Sans avoir le temps de réaliser ce qui lui arrivait, le garçon blond se retrouva cloué sur une chaise, une serviette sur les épaules, les ciseaux de Gwendoline tournoyant autour de lui.

– Olivia Newton ? répéta la coiffeuse un quart d'heure plus tard en rendant la monnaie à Julia. Je la connais très bien ! C'est une de mes clientes.

– Waou, waou ! s'extasiait Jason à l'autre bout de la pièce.

Assis devant la glace, il était en train d'admirer sa nouvelle coiffure sculptée au gel. Avec ses pics dressés sur la tête, il avait tout d'un hérisson.

– Vous sauriez m'indiquer où elle habite ? poursuivit Julia.

– Bien sûr ! répondit Gwendoline en sortant sur le pas de la porte. Vous êtes à pied ou en...

– En vélo.

– Parfait ! C'est un peu loin. Il vous faut d'abord rejoindre la route côtière, à la sortie du port. Vous pouvez couper par là, derrière, et la récupérer en bifurquant quelques mètres avant la librairie de Calypso.

– Je n'aimerais autant pas..., lâcha Rick.

Il n'avait pas oublié la promesse qu'ils avaient faite la veille à la libraire-postière en échange du mystérieux colis destiné à Ulysse Moore.

– Pourquoi voulez-vous éviter une femme aussi douce et charmante ? fit la coiffeuse, suspicieuse.

– Parce qu'on lui a promis de lire trois romans en une semaine et qu'on ne les a même pas commencés !

– Dans ce cas…, sourit Gwendoline, je vous conseille de revenir sur la grande place et de tourner tout de suite à droite, après la statue de William V. Vous aboutirez directement sur la route qui longe la côte. Vous verrez, c'est très facile de se repérer : la mer doit toujours être à votre gauche. À la sortie du village, continuez sur deux kilomètres environ. Vous croiserez le chemin de terre du domaine de la Chouette. Ne le prenez pas ; poursuivez sur quatre ou cinq kilomètres. À un moment donné, vous passerez devant un bosquet d'arbres assez curieux. Je ne me rappelle plus le nom de cette espèce, Olivia m'a raconté qu'elle les a fait venir d'un pays exotique… C'est une superbe villa, ultra-moderne et toute violette. On dirait une soucoupe volante, vous ne pouvez pas vous tromper.

Les trois compagnons la remercièrent et enfour-chèrent leurs vélos.

Jason, tout excité par son nouveau look, partit comme un bolide sur sa bicyclette, oubliant sa cou-leur et le tintamarre qui l'accompagnait.

Gwendoline Mainoff les regarda s'éloigner avant de rentrer dans son salon. Elle s'assit devant le miroir et se replongea dans la lecture des *Buddenbrock*, l'illustre et imposant pavé de Thomas Mann.

Dans leur précipitation, Rick, Jason et Julia tournèrent beaucoup trop tôt à droite. Ils se retrouvèrent dans une ruelle tellement étroite que les toits des maisons qui la bordaient semblaient se toucher. Un peu plus loin, à l'endroit où la rue s'élargissait, une femme en robe de chambre leur bloqua le passage et leur fit signe de s'arrêter.

– Au secours ! hurla-t-elle.

– Madame Biggles ! s'écria Rick en mettant un pied à terre. Qu'est-ce qui vous arrive ?

La vieille femme gesticulait dans tous les sens, les cheveux ébouriffés. Elle était sortie en pantoufles, et avait l'air complètement retournée. Elle jetait des regards affolés à la ronde.

Rick s'approcha d'elle et se présenta, mais elle avait visiblement du mal à le reconnaître.

– Marc-Aurèle s'est échappé ! gémit-elle en portant ses mains au visage.

– D'où elle sort, celle-là ? demanda Jason à sa sœur.

– Chuuuut !

Après des explications embrouillées, Cléopâtre Biggles pointa du doigt la silhouette d'un chat

accroché au sommet d'un lampadaire, sur le trottoir d'en face :

– Il est terrorisé ! Il ne veut plus descendre de là !

– Ne vous inquiétez pas, madame ! On s'en occupe ! affirma Rick, dévoué. On vous le ramène tout de suite.

Devant cet énième imprévu, Jason explosa :

– Je vous rappelle qu'on avait décidé d'aller chez Olivia Newton !

À ce nom, Mme Biggles sursauta. Son visage exprimait une très vive émotion :

– Mlle Newton ?

– Vous la connaissez ? s'enquit Julia, surprise.

– Ah, ça, oui ! Pour la connaître, je la connais ! fit d'une voix plaintive Cléopâtre Biggles.

Elle se couvrit les oreilles et se précipita chez elle.

Arrivée devant sa vieille maison en pierre, elle cria aux enfants :

– C'est elle qui a mis Marc-Aurèle et mes autres petits chéris dans cet état-là... Elle et cet homme à la mine patibulaire !

Elle ouvrit la porte d'entrée, libérant une douzaine de chats, qui miaulèrent en se ruant vers leur maîtresse. Ils commencèrent à se frotter contre ses jambes et à se faire les griffes sur sa robe de chambre.

– Gentil, gentil ! C'est ça…, fit-elle en les caressant l'un après l'autre. Oui, oui, Marc-Aurèle va bientôt rentrer, mes trésors !

– Ce n'est pas gagné…, soupira Rick, posté sous le lampadaire.

L'animal s'était réfugié à l'endroit où le poteau s'incurvait. De là-haut, il toisait le jeune homme d'un air narquois.

Rick essaya de le faire descendre par tous les moyens. Mais il avait beau l'amadouer, puis lui intimer des ordres secs, rien n'y fit. Le chat ne broncha pas lorsque le garçon tenta vainement de se hisser à ses risques et périls le long du réverbère.

Jason perdit patience. Pendant que Cléopâtre Biggles réconfortait ses félins César et Antoine, et que Rick et Julia s'efforçaient de faire obéir Marc-Aurèle, il donna un coup de pied magistral dans la base du lampadaire.

Surpris et épouvanté par ce bruit inattendu, Marc-Aurèle perdit l'équilibre et s'écrasa sur le sol. Il décampa à toute allure vers la maison en poussant d'affreux râles, se faufila entre les jambes de sa protectrice et disparut à l'intérieur.

– Marc-Aurèle ! jubila-t-elle. Te revoilà !

– Il était temps ! commenta Jason.

Mme Biggles voulut absolument offrir des biscuits aux enfants en guise de remerciement. Elle insista lourdement, malgré leur refus :

– Entrez, entrez ! Venez dans la cuisine ! Goûtez-moi ça ! Vous m'en direz des nouvelles...

Julia fut la première à se décider, désireuse de comprendre le rapport entre la fugue du chat et Olivia Newton. Rick la suivit : il n'avait jamais su dire non aux personnes qui demandaient quelque chose gentiment.

Jason passa la porte le dernier en soupirant bruyamment. Puis il se dit que l'heure du déjeuner approchait et qu'il aurait volontiers avalé un morceau avant d'entamer leur longue balade à vélo jusque chez Olivia Newton.

Il emboîta le pas à la vieille dame, à Rick et à Julia dans le couloir qui menait à la cuisine. Au bout de quelques mètres, il sentit du sable crisser sous ses baskets.

Il n'y prêta pas attention aussitôt. Ni sa sœur ni son ami n'avaient l'air d'avoir remarqué quoi que ce soit. Puis, instinctivement, il se retourna pour voir d'où cela provenait.

Au même moment, Cléopâtre Biggles entra dans la cuisine et attrapa une boîte en fer blanc à grosses fleurs :

– Les voilà, mes fameux gâteaux secs !

– Ça alors ! lâcha Jason, resté dans le couloir.

Il revint sur ses pas et s'accroupit pour examiner la fine couche déposée à cet endroit. De minuscules grains lui collèrent aux doigts : ils lui rappelèrent ceux qu'il avait découverts dans le salon en pierre de la Villa Argo.

Il s'agissait bien du même sable, fin et léger.

Du sable du désert, sans aucun doute. Là, au pied d'une vieille porte.

– C'est incroyable…, souffla-t-il. On dirait la Porte du Temps de la Villa Argo !

Se redressant d'un bond, il s'époumona :

– RIIIIIICK ! JUUUUUUUULIA !

Le bois du battant témoignait de son grand âge et de sa robustesse. L'issue était fermée, et Mme Biggles ne se souvenait pas de l'avoir jamais ouverte ni d'avoir vu l'ombre d'une clé. Elle savait juste qu'elle conduisait à la cave. Un endroit bien particulier, selon ses dires, car, de temps à autre, des courants d'air chaud et des volées de sable filtraient sous la porte.

Elle n'avait pas songé à y descendre et avait même condamné l'accès pendant de nombreuses années en plaçant une commode devant. Les chats avaient

néanmoins choisi le meuble pour se faire les griffes, et leur maîtresse avait dû le confier à un atelier d'ébénisterie pour le faire restaurer.

Les similitudes avec la Porte du Temps étaient troublantes. Notamment les vieux clous sur le côté gauche de la grosse serrure. Ils ressemblaient étrangement à ceux qui maintenaient les quatre serrures de la porte du petit salon en pierre de la Villa Argo.

Dès que Rick et Julia s'en aperçurent, ils restèrent bouche bée.

— Madame Biggles, commença Rick de sa voix la plus suave, vous devriez nous expliquer précisément ce qui s'est passé hier...

La propriétaire leur fit un récit très confus de l'intrusion nocturne d'Olivia Newton et de l'homme à l'imperméable noir.

— Manfred ! s'écria Julia.

À écouter la maîtresse de la maison, il semblait qu'Olivia, à peine rentrée, se soit précipitée sur la porte de la cave, sans s'embarrasser d'explications. Elle aurait juste marmonné quelques mots que Mme Biggles, qui avait alors perdu tous ses moyens, était incapable de répéter. Il y avait eu un orage carabiné, et les chats couraient dans tous les sens. Quant à la suite des événements, la vieille dame ne s'en souvenait pas. Quand elle s'était réveillée, le soleil dardait ses rayons, les chats tournaient en rond comme des enragés, et Marc-Aurèle avait passé la matinée juché sur son réverbère, terrorisé à l'idée de redescendre.

– Quelqu'un a même ouvert la vitrine du salon, se plaignit la septuagénaire. Heureusement, on ne m'a rien volé...

– Mais, madame Biggles, pourquoi avez-vous laissé entrer ces deux inconnus au beau milieu de la nuit ? s'étonna Julia.

– C'est que Mlle Newton a toujours été comme ça... Imprévisible !

– Vous la connaissiez donc déjà ?

– Oui, oui ! Mais je ne l'ai jamais trouvée bien sympathique. Contrairement à d'autres...

– De qui voulez-vous parler ?

– De ma sœur. C'était son élève préférée, avoua Mme Biggles.

– Son élève ? Je ne comprends pas...

– Elle était institutrice à l'école primaire... À Cheddar, vous savez, là où on fabrique le fromage !

Cléopâtre Biggles alla chercher au salon une vieille photo encadrée. On y voyait deux fillettes assises côte à côte.

– La plus jeune, c'est moi. Et, là, c'est ma sœur, Clio. Ou plutôt Clitennestra Biggles, pour être plus précis. C'était la plus intelligente de la famille, il faut le reconnaître. Elle adorait lire. C'est elle qui m'a offert les livres qui sont dans ma vitrine. Elle voulait voyager, voir du pays. C'est la raison pour laquelle elle a quitté Kilmore Cove et s'est installée à Cheddar. Elle disait qu'Olivia Newton était une écolière brillante et prometteuse. C'est là qu'elles se sont rencontrées.

– Qu'est-il arrivé par la suite ?

– Ma sœur a eu la nostalgie de Kilmore Cove et elle a fini par revenir. Il y a quelques années, elle a vu dans le journal la photo de son ancienne élève. L'article précisait qu'Olivia était devenue une brillante femme d'affaires. Cela lui a fait plaisir. Clio était une grande sentimentale... Elle s'attribuait probablement une partie du succès de son écolière. Elle a donc eu l'idée de lui envoyer un petit cadeau. Olivia est venue un jour la remercier en débarquant ici sans prévenir. Depuis, elle n'a cessé de se comporter de la sorte. La mort de ma sœur n'y a rien changé.

Jason n'entendait plus le son de la voix de Mme Biggles. Il était ailleurs. Les yeux rivés sur le battant sombre au milieu du couloir, il semblait hypnotisé.

– C'est une autre porte du temps... Je n'en reviens pas ! murmura-t-il en caressant le bois rêche.

Son cœur battait la chamade, et il ne savait plus très bien quoi penser. Certes, cette découverte l'émouvait, mais elle venait également enlever le caractère sacré de la porte de la Villa Argo.

Lorsque sa sœur et son ami lui résumèrent ce qu'ils avaient appris sur Olivia, c'est tout juste s'il les écouta. Il n'avait plus qu'une chose en tête : trouver le moyen d'ouvrir cette porte.

– Tu crois qu'elle aussi conduit à une mer intérieure et à un bateau, comme dans la grotte de Salton Cliff ? s'enquit Julia.

– À mon avis, oui.

– Je commence à comprendre pourquoi on s'est retrouvés nez à nez avec Olivia Newton en Égypte pharaonique..., fit Rick.

Mme Biggles les regardait, interloquée. Elle secoua la tête en lançant :

– Ah, les jeunes d'aujourd'hui ! Ils ont une imagination délirante !

Et elle s'éloigna pour mettre ses biscuits à l'abri des chats.

Julia en profita pour extirper de sa poche les quatre clés de la Porte du Temps :

– On essaie ?

Mais elles tournèrent dans le vide.

– Ce ne sont pas les bonnes clés..., fit Rick.

– Je suis prêt à parier que c'est Olivia qui les détient.

Les morceaux du puzzle s'imbriquaient les uns dans les autres...

– On doit à tout prix la retrouver ! À cette heure, elle est sûrement rentrée...

– Qu'est-ce que tu en sais ? intervint Julia. Qui te dit qu'elle n'est pas en Égypte ? Vous m'avez bien expliqué qu'elle cherchait quelque chose de précis ?

– C'était la carte !

– Justement. Maintenant qu'elle a mis la main dessus, elle complote peut-être encore là-bas.

Cela fit réfléchir Rick :

– Tu as probablement raison, Julia...

Jason, lui, était dubitatif :

– Je vous rappelle que c'est la seule carte de Kilmore Cove au monde. Et qu'elle appartenait aux Moore, qui ont fait le voyage jusqu'en Égypte pour la cacher dans la Collection. On est sûrs de ça, désormais.

– Si tu le dis..., murmura sa sœur.

– La carte ne sert à rien en Égypte antique. Elle est utile ici, à Kilmore Cove, à notre époque, précisa

Jason en indiquant le battant en bois. Ça fait déjà deux portes anciennes dans un même vieux village. D'après moi, ce n'est pas une simple coïncidence, lança-t-il, énigmatique.

– Tu crois qu'il pourrait y en avoir d'autres ?

– Pourquoi pas ?

– Dans ce cas, cette carte aurait une utilité bien spécifique, confirma Rick.

– Ça expliquerait sa valeur et son âge...

– J'avoue que je n'en sais rien...

– Tu te souviens de la date qui était inscrite dessus, Rick ?

– Mille sept cent et des poussières, si mes souvenirs sont bons...

– Vous ne trouvez pas ça étrange, vous ? Tout est ancien, ici : le village, les portes, la carte, et... le propriétaire de la Villa Argo ! ironisa Jason.

– Puis-je vous offrir une tasse de thé, les enfants ? les coupa Mme Biggles en ressortant de sa cuisine. Ou préférez-vous continuer à rêver sur l'Égypte antique ?

Un quart d'heure plus tard, les trois enfants prirent congé de la septuagénaire. Malgré ses protestations, ils avaient réussi à la convaincre de condamner l'issue en poussant une autre commode devant.

– Ce sera l'affaire de quelques jours, l'avait suppliée Rick. Nous viendrons l'enlever d'ici peu.

– Quelle drôle d'idée ! avait-elle pouffé en caressant Marc-Aurèle et César, qui se battaient pour obtenir ses faveurs.

– Surtout, n'en parlez à personne, d'accord ? lui avait recommandé Julia.

Mme Biggles retourna ranger la cuisine. Elle mit les tasses de thé dans le lave-vaisselle et replaça la boîte de biscuits au centre de la table.

Elle traversa ensuite le couloir et s'arrêta un instant devant le meuble ancien. Même si elle trouvait qu'il n'était pas à sa place à cet endroit, elle décida de suivre les conseils des enfants.

Tandis qu'elle montait les escaliers entourée par une armée de chats excités, elle ne put s'empêcher de penser que la jeune fille et le garçon roux se ressemblaient beaucoup. Elle sentait une grande connivence entre eux.

« Ils sont peut-être frère et sœur… », se dit-elle.

Il ne lui semblait pourtant pas que les Banner aient eu deux enfants…

Elle se dirigea vers la salle de bain. Elle ouvrit les volets et ordonna à Néron et Caracalla de sortir de la baignoire :

– Vous avez déjà pris votre bain hier ! Vous êtes de vrais poissons, mes minous !

Jetant un coup d'œil dans le miroir, elle fit la grimace. Elle alluma la guirlande de loupiotes qui l'encadrait et essaya de se coiffer, sans grande conviction. À chaque passage, la brosse restait empêtrée dans ses cheveux comme dans un nid de ronces.

Elle se résolut à la laisser accrochée dedans et alla se changer dans sa chambre.

Elle se sentait étonnamment gaie. Elle avait l'impression qu'après toutes ces émotions la visite des enfants l'avait apaisée. Leur gentillesse, leurs curieuses histoires d'adolescents et leur quête d'aventure l'avaient revigorée. Sans compter tout ce mystère autour de cette porte...

« Surtout, n'en parlez à personne, d'accord ? » parodia-t-elle Julia.

Cette enfant était un ange. Elle lui ressemblait un peu, quand elle avait son âge.

« Je sais ce qu'il me faut ! se secoua Mme Biggles en enfilant sa jupe. Un brushing de Gwendoline ! »

Elle allait sortir quand le téléphone sonna. Elle était tellement peu habituée à entendre sa sonnerie qu'elle fit un bond. Il lui fallut un moment pour retrouver l'appareil.

– J'arrive ! J'arrive ! cria-t-elle à l'intention du téléphone en bakélite noire qui ne s'arrêtait plus. Oui,
allô ? Qui est à l'appareil ?

Elle plissa le front pendant un bon moment ; puis
les traits de son visage se détendirent, et elle afficha
un large sourire.

– Nessstoooor ! s'exclama-t-elle enfin. Bien sûr
que je me souviens de toi ! Cela me fait tellement
plaisir de t'entendre ! Non, non, tu ne me déranges
pas le moins du monde...

Chapitre 8
- Sur la route côtière -

*L*e soleil était au zénith, irradiant de sa lumière blanche et aveuglante ce petit coin de Cornouailles. Dans l'air flottait l'odeur de la campagne et du sel marin. Il était midi. Jason, Julia et Rick avaient emprunté l'unique grand axe du littoral. La route longeait la baie de Kilmore Cove avant de remonter en pente douce vers le promontoire opposé à Salton Cliff. Les trois compagnons pédalaient tranquillement côte à côte. Coincé entre sa sœur et son ami, le dos recourbé sur son guidon, Jason sentait, à chaque coup de pédale, le pion du jeu d'échecs valdinguer dans sa poche. Abasourdis par ce qu'ils venaient d'apprendre, les enfants ne pouvaient pas s'empêcher d'en commenter chaque détail. Julia n'arrêtait pas de poser des questions, cherchant laborieusement à reconstituer la vie de chaque protagoniste, que ce soit Pénélope, Ulysse, le docteur Bowen, le gardien du phare ou Olivia Newton. Régulièrement, des éléments inattendus s'ajoutaient à leur enquête sur l'ancien propriétaire de la Villa Argo et incitaient le trio à émettre de nouvelles hypothèses.

Les jumeaux avaient l'impression d'être à Kilmore Cove depuis une éternité, alors qu'ils venaient juste d'emménager ici. Cela faisait un peu moins de vingt-quatre heures qu'ils avaient décodé leur premier message secret et entamé cette difficile chasse au trésor. Une chose était sûre, Jason en était désormais convaincu : quelqu'un l'avait préparée à leur intention.

Pourtant, en ce dimanche matin, tout s'était compliqué : ils n'avaient plus aucune piste claire, plus aucun message à déchiffrer. La diffusion d'indices semblait s'être brusquement interrompue depuis qu'Olivia Newton s'était emparée de la carte.

– Quelque chose m'échappe..., lâcha Rick. S'il existe une seconde porte du temps et qu'Olivia la connaît et sait l'ouvrir, pourquoi veut-elle à tout prix accéder aussi à celle de la Villa Argo ?

– C'est évident ! Elle veut toutes les essayer ! répondit Julia d'un ton prétentieux. Vous savez ce que c'est : quand une femme a quelque chose en tête, elle n'en démord pas !

Rick esquissa un sourire. Il reprit vite son sérieux et résuma la situation :

– Peu importe... On sait maintenant où elle habite. On a compris qu'elle est fâchée avec l'ancien propriétaire de votre maison. Autre information non négligeable : elle a été l'élève de la sœur de Mme Biggles...

– ... sans oublier que, d'après Nestor, elle est arrivée par erreur à Kilmore Cove.

– Tout ça serait de la faute de Clio Biggles...

Rick secoua la tête :

– Ce n'est pas impossible. Le plus embêtant dans l'histoire, c'est qu'on ignore les intentions d'Olivia.

– Moi, je trouve que c'est tout le village de Kilmore Cove qui nous pose un problème, le coupa Jason. Au début, je me focalisais sur la Villa Argo. Mais, après avoir découvert la porte de Mme Biggles, j'ai la conviction qu'...

– Qu'il y a d'autres portes ! conclut Julia à sa place.

– Ce n'est pas ce que je voulais dire. Je pense que quelqu'un cherche à les dissimuler aux yeux des curieux. Tenez : la Porte du Temps de la Villa Argo était cachée derrière une armoire. Si je ne l'avais pas remarquée par hasard, on aurait pu ignorer son existence pendant des années. Quant à Mme Biggles, elle est persuadée que sa porte conduit à la cave.

– D'un point de vue purement technique, elle a peut-être raison. Après tout, on ne l'a pas ouverte, fit remarquer Rick.

– On a essayé, mais aucune des quatre clés ne fonctionnait !

– Si ça se trouve, la clé que tu as balancée du haut de la falaise hier soir était la bonne..., maugréa Jason.

– Je ne l'ai pas balancée ! Je l'ai...

Rick freina brusquement pour faire diversion :

– Regardez cette vue ! C'est splendide !

Ils étaient arrivés à un premier embranchement. Sur la gauche, une petite route descendait en serpentant jusqu'à une presqu'île. À son extrémité, le phare, tour blanche et solitaire, se dressait face aux flots.

Julia avait le regard rivé de l'autre côté de la baie, sur la falaise blanche de Salton Cliff. Accrochée à son promontoire, la Villa Argo dominait le paysage, sa tourelle pointant au-dessus de la cime des arbres. De loin, l'escalier qui descendait jusqu'à la plage striait la falaise de mille sillons parallèles.

– Vous ne croyez pas qu'on devrait prévenir Nestor avant de s'éloigner davantage ? suggéra-t-elle, prudente. Je ne voudrais pas qu'il se fasse du souci.

– Ah oui ! Et comment ? railla Jason. Tu veux allumer un feu et lui faire des signaux ? Les cabines téléphoniques ne courent pas les rues par ici, ça ne t'a pas frappée ?

– Jason, tu n'as qu'à...

– Il n'en est pas question ! Ne comptez pas sur moi pour pédaler jusqu'à la Villa Argo ! De toute façon, Nestor doit être en train de ramasser les feuilles ou de faire la sieste. Il n'est pas du genre à s'inquiéter.

– Justement ! dit sa sœur. On devrait faire plus attention à lui. Il est tombé hier soir. Il a tout de

même un certain âge. Et puis, vous avez vu comme il tousse ?

– D'après le docteur Bowen, il est résistant.

Julia se fit plus insistante :

– D'accord, il a un côté bourru et revêche. Mais je vous signale que lui seul est au courant de nos secrets. Si l'on a un ami à Kilmore Cove, c'est bien Nestor.

– Pourtant, hier, tu n'avais pas l'air de l'apprécier tant que ça…, lui lança son frère.

– Hier, c'était hier. Aujourd'hui est un autre jour.

– Si on y allait maintenant ? Si on se dépêche, avec un peu de chance, Nestor ne saura pas qu'on a quitté le village.

Julia resta immobile. Elle n'arrivait pas à détourner les yeux de Salton Cliff.

– Qu'est-ce que tu as encore ? demanda Jason.

– Je ne sais pas… Appelle ça comme tu veux, intuition féminine ou autre, mais je trouve que la Villa Argo a un air bizarre. On dirait que la maison a peur…

– Alors, là, c'est la meilleure ! Tu es vraiment grave parfois, Julia !

La jeune fille lui tira la langue et insista :

– J'ai le pressentiment qu'il se passe quelque chose d'anormal. Mieux vaudrait ne pas trop s'éloigner…

– N'importe quoi! railla Jason en se mettant debout sur son vélo pour accélérer.

Le vent s'engouffra dans son T-shirt et buta sur ses cheveux sculptés.

– Qu'est-ce que tu veux qu'il arrive?

Chapitre 9
- La commanditaire -

À six kilomètres de là, dans une villa en béton violet, le téléphone retentit dans une pièce à la température idéalement régulée par un système de climatisation ayant coûté la bagatelle de 100 000 livres. Malgré la sonnerie tonitruante empruntée à *La Chevauchée des Walkyries* de Richard Wagner, personne ne répondit. Une musique disco endiablée, qui rythmait une séance de fitness musclée, faisait trembler la maison.

Au centre de la pièce trônait un vélo d'appartement ultraperfectionné. Chacun de ses éléments constituait un appareil de cardio-training à lui seul. Le guidon articulé permettait de faire travailler les bras et les épaules, tandis que les pédales étaient réglées sur le tempo de la chaîne hi-fi, obligeant son utilisatrice à cracher ses poumons et mouiller son body pour tenir la cadence.

Cette sportive, en l'occurrence, avait l'air d'éprouver un malin plaisir à se fatiguer. Elle regardait droit devant elle, l'air déterminée et sûre d'elle. C'était une grande femme sculpturale, dotée d'une impressionnante résistance physique.

Elle ne semblait pas du tout disposée à décrocher.

À la quinzième sonnerie, une porte blanche laquée s'entrouvrit. Immédiatement, le climatiseur se mit en mode « pause », la musique s'éteignit et le vélo ralentit avant de s'arrêter.

— MAAAANFREEEED ! brailla la championne, exaspérée.

Elle s'écroula sur le guidon aux multiples fonctions et pesta :

— Combien de fois faudra-t-il te répéter de ne pas me déranger quand je fais ma gym ?

— On vous demande au téléphone pour une urgence, se justifia dans un filet de voix l'homme à tout faire posté derrière la porte. C'est l'entreprise de démolition.

— Ah !

Olivia redressa brusquement la tête. La transpiration lui avait dessiné un « V » dans le dos.

— Passe-les-moi tout de suite !

— Je l'ai déjà fait, mais vous n'avez pas entendu...

— Recommence !

La porte se referma. Olivia Newton descendit de son appareil de torture et attrapa une serviette violette, sur laquelle elle avait fait broder deux énormes lettres alambiquées : *O. N.*

— Newton, j'écoute ! répondit-elle sèchement dès la première mesure de *La chevauchée des Walkyries*.

Elle se tut une fraction de seconde avant de répliquer :

– Le prix n'a pas d'importance. Je ne veux rien savoir. J'exige que cela soit fait aujourd'hui, le plus vite possible ! Mettez vos meilleurs hommes sur le coup ! Oui, c'est ça, les plus costauds, les plus courageux... Et une pelleteuse à chenillettes ! Il ne doit pas en rester une miette, vous m'entendez ? Ou plutôt, si, attendez, il y a un mur auquel vous ne devez pas toucher...

À l'autre bout du fil, le gérant de l'entreprise de démolition réussit à glisser quelques mots avant d'être de nouveau interrompu par les vociférations d'Olivia :

– Je vous ai expliqué le trajet cent fois ! Il faut prendre le petit chemin de terre deux kilomètres après la sortie du village. Et arrêtez de me casser les pieds avec votre histoire de permis ! C'est ma maison, et j'en fais ce que je veux ! Je vous retrouve là-bas dans une demi-heure.

Olivia Newton raccrocha sans ménagement.

Elle s'essuya le front et jeta sa serviette par terre. Elle poussa la porte laquée du bout du pied et se mit à chercher Manfred.

Elle le surprit en train de rêvasser devant la baie vitrée, les mains dans les poches.

– On s'en va ! annonça-t-elle. Dans cinq minutes ! Je prends une douche et on file !

Manfred fit volte-face. Un énorme pansement lui recouvrait le nez. Il avait les yeux cernés et la mine de quelqu'un qui avait passé une nuit blanche. Une cicatrice lui barrait le cou avant de venir se cacher sous sa chemise, lui donnant un air encore plus suspect.

– Où allons-nous ?

Olivia Newton s'arrêta net, surprise par la curiosité impertinente de son chauffeur :

– Depuis quand poses-tu des questions ?

Manfred la défia d'un regard provocateur :

– Depuis que j'ai risqué ma peau pour vous.

La réaction d'Olivia ne se fit pas attendre. Elle l'attrapa entre ses redoutables griffes :

– Tu sais parfaitement que j'étais furieuse de ne pas te trouver en rentrant à la maison... Parce que Monsieur avait décidé de traîner autour de la Villa Argo et de rendre visite aux enfants ! Détruisant au passage une voiture d'un demi-million de livres !

Manfred s'efforça de conserver son regard, tandis que les grands ongles violets d'Olivia lacéraient sa cicatrice et se rapprochaient de sa jugulaire.

– Mais ensuite, Manfred..., poursuivit sa patronne, métamorphosée.

Elle avait relâché sa prise, déséquilibrant par la même occasion son chauffeur, qui faillit tomber à la renverse.

– ... tu m'as remis ce précieux objet... Tu m'as avoué avoir risqué ta vie pour le récupérer... Je te pardonne donc.

Olivia agita sous ses yeux deux vieilles clés finement ciselées qu'elle portait en collier :

– Mon brave Manfred ! Dire qu'hier je n'avais que celle avec le chat ! Et maintenant je détiens aussi celle avec le lion ! ROARR..., rugit-elle.

La gorge de Manfred se serra. Il ne savait plus à quel moment Olivia lui faisait le plus peur : quand elle était furieuse ou quand elle triomphait.

– Roarr..., l'imita-t-il sans conviction avant de reprendre sa mine patibulaire de petit truand.

– Bravo, Manfred ! le félicita sa patronne. Va préparer la moto ! On y va !

Le chauffeur resta immobile, attendant de voir la tigresse disparaître derrière une des portes laquées de cette maison sans âme. Il se retourna et glissa avec fureur les mains dans ses poches. Il était vert de rage. Envers qui, au juste ? Il ne le savait pas exactement. Il détestait son travail, la Villa Argo, ce vieux jardinier et cette jeune fille hystérique qui avait failli le tuer. Et, désormais, il se rendait compte qu'il commençait également à haïr sa patronne. Elle le traitait comme un pantin et lui parlait sur un ton méprisant, le même qu'elle adoptait avec les ouvriers de l'entreprise de démolition. Il la maudissait ; cependant les griffures de ses ongles violets le dissuadaient de tenter toute rébellion...

Il ne savait toujours pas où ils allaient.

Chapitre 10
- Le domaine de la Chouette -

Quelques kilomètres plus loin, Jason, Julia et Rick s'arrêtèrent devant un chemin de terre pour reprendre leur souffle. La route côtière qu'ils avaient suivie faisait à cet endroit un crochet par l'intérieur des terres. Le trio n'avait pas croisé une seule voiture depuis la sortie du village. Le relief s'était aplani, et le paysage présentait de grandes étendues parsemées de buissons ronds, d'énormes pierres et de minuscules fleurs blanches et violettes qui vibraient au moindre souffle d'air. Çà et là, un arbre ployant sous le vent du large venait casser la monotonie du décor.

Les enfants résolurent de se dégourdir les jambes et d'aller jeter un coup d'œil alentour. Rick, toujours aussi prévoyant, s'était muni d'une gourde d'eau, dont il partagea le contenu avec les jumeaux.

En s'approchant du chemin, le trio constata qu'un gros engin l'avait récemment emprunté. Il avait laissé de profondes marques sur le sol et arraché sur son passage l'écriteau qui en marquait l'entrée. Jason se baissa pour le ramasser. «Domaine de la Chouette», pouvait-on lire sur le bout de bois orné d'une chouette blanche.

– C'est bizarre, non?

Se souvenant de ce que le docteur Bowen lui avait raconté, Julia se retourna vers Rick:

– Tu as déjà vu un panneau : « Bienvenue à Kilmore Cove », ou juste : « Kilmore Cove », comme à l'entrée des autres villages ?

– Ben... Je n'ai pas fait attention. Mais non, effectivement, maintenant que tu le dis.

– Combien de routes mènent à Kilmore Cove ?

– Une seule, celle-ci !

Rick désigna la falaise de Salton Cliff :

– Elle longe la baie jusqu'à la Villa Argo.

– Et ensuite ?

– Je n'en sais rien. Je ne suis pas allé plus loin, fit-il, gêné.

Il n'osait avouer à ses nouveaux amis qu'il n'avait jamais quitté le village. À vrai dire, l'idée ne lui était pas venue à l'esprit. Il trouvait tout ce qu'il lui fallait ici. En quelques coups de pédale, il avait réussi à réaliser son rêve d'enfant : pénétrer à l'intérieur de la Villa Argo, la sentinelle de Salton Cliff. Que pouvait-il souhaiter de plus ?

Julia nota son embarras et lui sourit. Elle appréciait la gentillesse et les attentions de Rick ; cela la changeait des manières brusques de son frère.

– La gare ! Il doit sûrement y avoir un panneau annonçant la localité aux voyageurs ! s'exclama-t-elle.

– C'était le cas, autrefois, répondit Rick. Seulement, la gare est fermée depuis des années. Je crois

même, honnêtement, que je n'ai jamais vu un train passer. On est un peu... comment dire ?... coupés du monde.

– C'est le mot ! approuva Jason. On a fait des kilomètres, et on n'a pas vu une maison !

Rick récupéra sa gourde, la referma et la cala sur son vélo :

– Ça vous fait peur ? Les trous perdus, ce n'est pas votre truc, hein ?

– Non, ce n'est pas ce que tu crois, Rick ! Bon, c'est vrai qu'à Londres il y a plus de monde...

Un ange passa. Rick finit par rompre le silence :

– J'aime cet endroit, tel qu'il est. Et, même s'il n'y a pas de panneau de bienvenue à l'entrée du village, je suis heureux que vous soyez ici, à Kilmore Cove, avec moi !

Sur ces mots, il enfourcha sa bicyclette et se remit à pédaler.

À peine avait-il fait quelques mètres qu'il regretta ce qu'il venait de dire. Il s'en voulait... « Pauvre idiot, se dit-il. Tu as l'air de quoi maintenant ? Je suis heureux que vous soyez ici, avec moi... Gnagnagna, gnagnagna... ! »

Qu'est-ce qui lui avait pris de sortir une phrase aussi mielleuse ? C'était vraiment ridicule !

– Je n'ai pas été habitué à voyager, moi...

Ses paroles furent emportées par la brise marine. L'air du large lui rappela son père disparu en mer. Lui, au moins, il avait parcouru le monde, et il avait toujours des tas d'histoires à raconter !

Que pouvaient bien penser de lui Jason et Julia ? Qu'il n'était qu'un campagnard ignare, probablement.

Il entendit les jumeaux ricaner dans son dos et s'imagina aussitôt qu'il était devenu l'objet de leurs moqueries. Tout en continuant d'avancer, il pivota la tête vers eux et cria :

– Ça suffit, vous deux !

Jason et Julia discutaient en fait de tout autre chose. Ce n'est pas la voix de Rick qui leur parvint, mais un grondement sourd, évoquant celui des hélices d'un hélicoptère. Quelques dixièmes de seconde plus tard, ils virent surgir à la sortie du tournant un bolide brillant et noir filant à vive allure.

C'était une moto de course, inclinée pour mieux amorcer le prochain virage, tout comme ses deux passagers.

– RICK ! ATTENTION ! s'égosillèrent-ils.

Le jeune villageois l'avait entendue lui aussi. Instinctivement, il se retourna dans la direction d'où provenait le bruit. Sous l'effet de la surprise, il resta figé, certain que sa dernière heure était arrivée. La

grosse cylindrée fonçait droit sur lui. Rick eut le bon réflexe : il se jeta dans le fossé de gauche. La moto se pencha du côté opposé, projetant une pluie d'étincelles.

Le pilote effectua une série de manœuvres désespérées pour tenter de garder son équilibre et réussit à éviter de justesse la bicyclette. Le véhicule aux pneus surchauffés par les freinages répétés dérapa à la hauteur de Jason et Julia, avant de ralentir quelques mètres plus loin.

Le passager souleva la visière de son casque et vociféra, furibond :

– Rentrez chez vous, petits morveux !

Les motards s'engouffrèrent dans le chemin de terre du domaine de la Chouette, soulevant un nuage de poussière sur leur sillage.

Jason secoua la tête, incrédule.

Julia, inquiète, sauta à terre et se précipita vers Rick.

Elle le trouva étendu par terre, immobile.

– Je vais bien…, murmura le garçon dès que Julia l'effleura. J'ai juste déchiré ma chemise.

– Fais voir ! Mais… tu saignes !

– Ce n'est rien, prétendit-il, sans se soucier ni de ses écorchures ni de son pouls un peu rapide. Vous avez vu cet engin ? C'était qui, ces deux cinglés ?

− Je suis sûr que c'était eux, affirma Jason.

− Qui ça ? s'enquit Julia.

− La femme en combinaison noire qui vient de nous insulter, c'était Olivia Newton ! J'en mettrais ma main à couper...

− Olivia Newton ? Où va-t-elle comme ça ?

− Ne me parlez plus de cette femme ! s'écria Rick, hors de lui, ramassant son vélo.

Sa chemise en lambeaux lui donnait triste allure.

− Ça commence à bien faire ! C'est la deuxième fois qu'elle manque de me renverser !

Il monta en selle, tel un cow-boy.

− Qu'est-ce que tu as l'intention de faire ? s'enquit Jason.

− Je vais la suivre. Et, fais-moi confiance, elle va me le payer ! lança-t-il sur un ton ferme et résolu.

− Attends, attends ! Je n'ai pas tout saisi..., fit l'un des trois pêcheurs en interrompant le gardien du phare. Tu nous paies 50 livres chacun pour jeter nos filets sous Salton Cliff ? C'est bien ça ?

Ses deux collègues se lissèrent la barbe, amusés par cette mission farfelue :

− Tu n'aurais pas perdu la tête, Léonard ?

Le gardien tournait le dos au village. C'était un homme imposant et corpulent emmitouflé dans

un caban marin en toile bleue et chaussé de rudimentaires sabots de bois. Mal rasé, mal coiffé, il portait les cheveux longs.

– C'est à prendre ou à laisser, confirma-t-il d'une voix caverneuse.

Montant à bord de son bateau, un des hommes commença à rechigner :

– Je viens de nettoyer mes filets… Je voulais profiter de mon dimanche après-midi. C'est jour de repos pour nous aussi !

– À mon avis, c'est peine perdue. On va remuer le fond, mais on n'attrapera sûrement rien ! enchérit son collègue en scrutant le promontoire de Salton Cliff, la main en visière.

– Sauf si c'est pas du poisson que tu cherches…, intervint le troisième.

Léonard Minaxo dansa d'un pied sur l'autre. Le ponton craqua. Il n'eut pas besoin d'ouvrir la bouche. Un seul regard suffit pour que ses interlocuteurs capitulent.

– Tu l'as dit toi-même, reprit l'homme, un pêcheur ne peut pas cracher sur 50 livres… Bon… Entre nous, tu ferais bien de retourner au phare et de reprendre ta garde.

– D'accord, Léonard ! lança le deuxième. Après tout, c'est ton argent. Tu es libre de le dépenser comme tu veux. Nous, on jette nos filets, et on verra bien ce qu'on prendra !

– On va essayer de faire notre possible pour remonter cette vieille clé, mais on ne te promet rien !

Le troisième marin se gratta le ventre à moitié caché par un T-shirt barré de l'inscription : JE SUIS DAVID BECKHAM.

– Tu es certain qu'elle est tombée au milieu des rochers ?

Chapitre 11
- La Maison aux miroirs -

*L*e sillage de poussière laissé par la moto resta de longues minutes suspendu en l'air. Les enfants n'eurent donc aucun mal à prendre les deux malotrus en filature.

Le chemin de terre du domaine de la Chouette montait et descendait en pente douce, serpentant entre des prés parsemés de chardons et de fleurs jaunes.

Les trois compagnons se gardaient bien d'ouvrir la bouche pour économiser leurs forces et éviter d'avaler trop de poussière.

La première chose qu'ils aperçurent fut un vieux portail en piteux état, érigé au milieu de nulle part. Il était constitué de deux petits piliers en pierre envahis par la végétation. Sur leurs chapiteaux, on distinguait encore des morceaux de miroirs, vestiges d'une précédente décoration.

Ses battants en fer forgé rouillés gisaient sur l'herbe, abandonnés, comme s'ils avaient été défoncés.

– Des chenillettes..., observa Rick en s'accroupissant. Un engin de chantier est passé par là récemment.

Jason vint le rejoindre et se mit à examiner les empreintes à son tour.

De son côté, Julia ramassa l'écriteau en laiton marquant jadis l'entrée de la propriété. Une chouette blanche tenant une montre dans son bec y était peinte. On pouvait lire :

– Ce nom te dit quelque chose, Rick ?

– Absolument rien, avoua le jeune homme. Mais on ne va pas tarder à en savoir plus.

De l'autre côté de la grille, le chemin serpentait entre deux petites collines verdoyantes. Au sommet de l'une d'elles se détachaient de bien curieuses constructions. Tels des « I » dressés fièrement dans ce paysage, des éoliennes tournaient avec paresse leurs longues pales fuselées.

– Qu'est-ce que c'est que ces machins ? lâcha Julia.

– On dirait des moulins à vent, fit son frère.

– Je n'en suis pas si sûre... Tu entends ce bruit ?

Le ronronnement en question ne provenait pourtant pas de là-haut. Un poids lourd avait emprunté le chemin de terre et se rapprochait inexorablement des jumeaux et de Rick.

– Vite ! s'exclama ce dernier.

Le trio s'empressa de cacher les bicyclettes derrière les arbustes touffus qui jalonnaient le sentier et de se tapir dans l'herbe.

Le bruit du moteur s'amplifia, et, quelques minutes plus tard, ils virent surgir un énorme camion-benne. Ses vitres étaient trop sales pour que les enfants puissent apercevoir ses occupants. Ils lirent sur la portière :

ENTREPRISE DE DÉMOLITION
CYCLOPS & Co

Le véhicule de chantier pénétra à l'intérieur de la propriété et poursuivit sa route à plein régime avant de disparaître derrière la colline.

– Soyons prudents ! chuchota Jason. J'ai l'impression qu'il y a du monde...

Ils laissèrent leurs vélos au portail, après avoir pris soin de les cacher sous des branchages, et avancèrent avec précaution, se déplaçant d'un arbre à l'autre. Ils ne tardèrent pas à voir apparaître les contours d'une très étrange maison. Son toit semblait entièrement recouvert de miroirs.

C'était une belle villa de caractère, tout en hauteur. Du lierre courait sur sa façade ; des balustrades en fer forgé l'agrémentaient de leurs volutes et fioritures.

Au fur et à mesure qu'ils s'en approchaient, les enfants relevèrent pourtant une série d'indices leur laissant à penser que l'endroit était très mal entretenu, voire abandonné depuis des années. Certains miroirs du toit étaient en effet brisés et n'avaient pas été remplacés, les rambardes commençaient à rouiller et le lierre avait besoin d'être taillé.

Dans la cour intérieure régnait un va-et-vient incessant de personnes et d'engins. Les trois compagnons n'eurent aucun mal à reconnaître, garée sur le bord du chemin, la moto qui avait failli écraser Rick. Un peu plus loin, ils remarquèrent une pelleteuse jaune à chenillettes. Le camion, dernier arrivé, s'était mis de travers, à quelques mètres du porche. À proximité, quatre hommes étaient en train de discuter. De grand gabarit, ils portaient des maillots de corps blancs sans manches qui mettaient en évidence leur musculature développée, des bleus de travail de

couleur pétante et des casques assortis sur lesquels était imprimé un logo en forme d'œil.

Ils bavardaient avec deux personnes en combinaison noire.

Les jumeaux et leur ami rampèrent dans l'herbe pour les observer de plus près. Jason avait raison : les deux motards n'étaient autres qu'Olivia Newton et Manfred.

Reconnaissant le chauffeur, Julia se sentit défaillir.

– C'est raté, pour cette fois, lui souffla son frère. Apparemment, tu lui as seulement cassé le nez.

– Attendez-moi là, lança Rick en s'éloignant discrètement dans la direction opposée.

– Où vas-tu ?

– Faire quelques réglages sur la moto…, fit-il, énigmatique.

Les jumeaux se plaquèrent dans l'herbe.

– Qu'est-ce qu'il fabrique ? Il est fou ! murmura Jason.

– Oui, fou de rage.

Dans la cour, Manfred se mit à lancer des coups d'œil furtifs autour de lui, comme s'il avait flairé la présence des enfants.

Jason vit Rick s'éclipser derrière un monticule, puis se glisser derrière le camion de l'entreprise de démolition.

Le cœur battant, le frère et la sœur suivirent les déplacements de leur ami et du petit groupe en pleine discussion. Dès que Manfred intervint dans la conversation, la silhouette de Rick se faufila vers la moto et se pencha sur les roues. Quelques secondes plus tard, les pneus se dégonflèrent.

Les jumeaux eurent bien du mal à garder leur sérieux. Manfred, lancé dans de grandes explications, n'avait rien remarqué.

Rick traversa la cour comme une flèche. En un éclair, le trio était de nouveau réuni.

Le jeune rouquin affichait un air radieux.

– Comment t'as fait ? l'interrogea Jason en lui donnant une tape amicale sur l'épaule.

– Secret-défense, se pavana son ami, profitant pleinement du regard admiratif que lui adressait Julia.

Chacun reprit son poste d'observation :

– De quoi parlent-ils ? demanda à son tour la jeune fille.

– Je n'ai pas très bien entendu, avoua Rick. J'ai juste compris que cette maison appartient à Olivia.

– Hm, hm... Il faut qu'on en sache plus, conclut Jason.

– Comment comptes-tu t'y prendre ? On ne peut pas y retourner, c'est trop risqué ! lâcha Julia.

Rick leur indiqua l'endroit où il avait disparu quelques instants plus tôt :

– J'ai repéré un sentier qui part de là et fait le tour de la maison. Si on réussit à s'approcher par derrière, on a peut-être une chance de les entendre sans être repérés.

Une seconde suffit aux jumeaux pour approuver l'idée :

– OK, essayons !

Ils suivirent Rick et découvrirent en contrebas d'immenses prés aux hautes herbes folles. Autour d'eux s'étendait une vallée dont la beauté avait été préservée. Seules la Maison aux miroirs et les éoliennes, là-haut sur la colline, venaient entacher ce paysage. Le sentier passait à bonne distance de la maison et la contournait.

Vue de dos, on aurait pu croire que cette drôle de construction n'avait pas de toit. Chose plus étrange : elle était érigée sur une plate-forme circulaire reposant sur d'épais piliers métalliques, comme une maison sur pilotis. N'ayant plus rien de traditionnel, c'était un vaste assemblage de fer, de miroirs, de bois et de végétation.

Fascinés, les enfants s'approchèrent. De gros oiseaux, qui avaient établi leurs nids entre les ramifications du lierre, les observaient, cachés à l'ombre du feuillage.

Rick remarqua que la villa était fixée à la plate-forme par une série de barres en fer et d'énormes boulons. La façade arrière, quant à elle, était quadrillée de câbles et de gros tuyaux en cuivre qui formaient une immense armature métallique.

– C'est super ingénieux ! commenta-t-il en examinant sous tous les angles ce modèle d'architecture unique en son genre.

– Qu'est-ce que tu lui trouves ? s'enquit Julia alors qu'ils progressaient furtivement et discrètement entre les piliers.

En tendant l'oreille, ils pouvaient désormais percevoir des fragments de conversation provenant de la cour.

– On dirait que tout ce dispositif sert à faire pivoter l'ensemble..., fit Rick. Maintenant que j'y pense, j'ai déjà entendu parler d'une maison qui tournait sur elle-même...

– Et tu n'as jamais eu envie d'aller y jeter un coup d'œil ? s'exclama Jason.

– Non, c'était loin du village. Très franchement, si on n'avait pas suivi Olivia Newton, je ne l'aurais jamais localisée.

– Tu penses vraiment qu'elle tourne ? lui demanda Julia.

Rick lui désigna de grosses roues crantées, semblables à d'immenses pièces d'horlogerie, coincées entre la plate-forme et le corps du bâtiment.

– Quel est l'intérêt de faire pivoter une maison sur elle-même ? voulut savoir Julia.

– La personne qui l'a conçue a probablement voulu lui faire suivre la trajectoire du soleil. Vous avez remarqué tous ces miroirs ?

– Oui...

– À mon avis, ce sont des panneaux solaires. Et les curieux moulins au sommet de la colline sont des éoliennes. Voilà une maison qui fonctionne à l'énergie solaire et éolienne !

Ils furent soudain interrompus par un hululement venu du toit. *Hou-ou... ! Ouuu... !*

– Qu'est-ce que c'est ? souffla Julia.

– On dirait un oiseau...

La jumelle se désintéressa de la discussion et fit quelques pas entre les piliers. Une porte entrouverte attira son attention. Elle se glissa sous les planches en bois qui en barraient partiellement l'accès et fit signe aux garçons de la rejoindre.

La porte donnait sur une pièce incroyable. On se serait cru dans la salle des machines d'un sous-marin ou à l'intérieur d'une horloge géante. Partout, ce n'étaient que rouages, leviers et tuyaux imbriqués les uns dans les autres. Seul un étroit couloir permettait de circuler au milieu de cette gigantesque machinerie au repos.

– Ça doit être le mécanisme de rotation..., en déduisit Rick.

– Je n'ai jamais rien vu de pareil ! s'enthousiasma Jason devant ce spectacle hors du commun.

Les trois amis s'approchèrent d'une vieille table équipée de leviers qui commandaient une série d'engrenages. Derrière, sur le mur, ils découvrirent une espèce de tableau de contrôle recouvert de pictogrammes. Il leur sembla reconnaître les symboles d'une maison, du soleil et de la lune. Des flèches indiquaient la direction dans laquelle il fallait faire tourner l'édifice.

Des tuyaux reliaient les commandes à une enfilade de bassins d'eau chaude et d'eau froide, avant de disparaître de l'autre côté des murs.

Il régnait un silence total, interrompu de temps à autre par la voix lointaine d'Olivia et des ouvriers et par ce même hululement.

Rick épousseta les leviers et essaya de deviner leur fonction :

– Je parie que ceux-ci régulent l'eau chaude… et que ceux-là ont un rapport avec les éoliennes.

– Tout a l'air abandonné. Depuis peu, apparemment…, fit remarquer Jason.

– On étudiera la mécanique plus tard, si vous le voulez bien ! les rappela à l'ordre Julia. On doit à tout prix se rapprocher de la cour si on veut avoir une chance de comprendre ce qui se trame là dehors !

La seule autre issue possible était un escalier qui conduisait au rez-de-chaussée.

Sur la porte de séparation étaient fixés des miroirs.

À peine avaient-ils franchi le seuil que les enfants perçurent un bruissement d'ailes. Aussitôt, une ombre leur passa sous le nez, fendant l'obscurité.

Hou-ou… ! Ouuu… !

La pièce, une ancienne chambre entièrement vidée de ses meubles, était dans un état lamentable. Le lierre l'avait envahie, abîmant les murs lambrisés. Ces derniers portaient encore la marque des tableaux qui les avaient jadis décorés.

Se gardant bien de toucher à quoi que ce soit, Rick, Julia et Jason poursuivirent l'exploration du rez-de-chaussée jusqu'à un salon en forme de demi-lune, où une odeur rance et tenace leur souleva le cœur. De là, ils purent suivre la discussion entre les motards et les occupants du camion-benne.

Ils se déplacèrent avec prudence. Ils avaient tous la désagréable sensation d'être observés par quelqu'un.

Inquiète, Julia scruta la pièce dans ses moindres recoins et crut apercevoir, sur les dernières marches de l'escalier qui menait au premier étage, plusieurs paires de gros yeux jaunes.

Hou-ou... ! Ouuu... !

–Jason...

Les garçons s'étaient déjà postés derrière les grandes fenêtres grillagées qui donnaient sur la cour. Les vitres étaient cassées, et les persiennes avaient été rafistolées à la va-vite avec des morceaux de bois.

Entre ces deux étroites ouvertures, la porte d'entrée, sortie de ses gonds, penchait dangereusement sur le côté.

De nouveau, le même bruissement d'ailes. Julia tenta de l'ignorer, mais ne put s'empêcher de lever la tête.

Il ne restait plus dans le salon qu'une vieille horloge à coucou démantelée et une table ronde en fer forgé. Sur son plateau était gravée une tête de chouette, et ses trois pieds rappelaient étrangement les pattes d'un oiseau...

– Des chouettes ! réalisa tout d'un coup la jeune fille. Mais oui ! Voilà à qui appartenaient ces grands yeux jaunes !

Jason et Rick lorgnèrent dehors : Olivia et l'équipe de CYCLOPS étaient en train de comploter autour d'une grande feuille de papier dépliée sur le capot du camion.

– C'est notre carte ! s'écria Rick.

Là, sous leurs yeux, se trouvait en effet le fameux plan de Thos Bowen qu'ils avaient découvert dans le Pays de Pount, en Égypte.

– Voici les consignes : vous allez réduire en poussière cette affreuse baraque ! ordonna Olivia Newton. Attention, allez-y doucement ! Un mur à la fois !

Le contremaître de l'entreprise de démolition ôta son casque et se gratta la tête :

– Ça n'est pas facile, vu que…

– Ce n'est pas mon problème ! vociféra Olivia Newton. Je dois localiser cette porte !

– Vous êtes certaine qu'elle existe encore ?

– J'en mets ma main à couper ! Vous n'avez pas idée du mal que je me suis donné pour le vérifier !

Olivia serra entre ses doigts la carte de Kilmore Cove.

Le contremaître leva les mains en signe d'approbation. Manfred ricana : pour une fois, il n'était pas l'objet de la colère de sa patronne.

— Excusez ma curiosité, hasarda l'ouvrier. Je ne comprends pas... Si la porte est bien à l'intérieur, pourquoi devons-nous démolir la maison ?

— TOUT SIMPLEMENT PARCE QUE JE N'ARRIVE PAS À LA TROUVER ! s'époumona Olivia Newton. Elle est dissimulée par une cloison, murée, enfouie quelque part, que sais-je ! Je veux que vous rasiez les murs un par un, jusqu'à ce que vous tombiez dessus !

— Et ensuite ?

— Ce sera tout ! Votre travail s'arrête là.

Les quatre ouvriers étaient perplexes : c'était la première fois qu'on leur confiait une tâche aussi insolite.

— Je sais qu'il s'agit de votre propriété et de votre argent, madame... Cependant, même si je ne vois pas très bien l'intérêt de la mission, je tiens à vous mettre en garde contre les risques encourus. On n'est pas devant un plan classique. Les murs sont en aluminium et en bois, le toit en miroirs. Il y a des conduites et des mécanismes compliqués partout. Ce n'est pas une mince affaire...

– Vous n'allez pas me dire qu'un homme de votre carrure tremble devant ce genre de gadget ? railla Olivia Newton. Allons, soyons sérieux ! Le bois et l'aluminium ont été choisis pour leur légèreté, afin de faciliter la rotation de la maison. Ça ne devrait pas être bien difficile !

Au salon, Rick sourit. Il ne s'était donc pas trompé : la bâtisse tournait réellement !

– C'est sûr que des constructions de ce type, on n'en voit pas tous les jours ! commenta l'entrepreneur.

Olivia fut secouée d'un rire sarcastique :

– C'était le joujou de son propriétaire, un inventeur. Un certain Peter Dedalus !

À ce nom, Rick tressaillit.

– Ah, quel talent, quel génie ! poursuivit la femme. Dire que c'était un bonhomme haut comme trois pommes !

– Cette villa est un petit bijou de la mécanique, reprit le contremaître tout en rajustant son casque. D'autant plus qu'elle produit elle-même son électricité...

– Il n'y a aucun câble électrique, aucune ligne de téléphone, confirma Olivia. Tout provient de là-haut...

– Des panneaux solaires, précisa l'ouvrier.

–De ces horreurs, vous voulez dire ! Sur le toit de cette monstrueuse maison ! Allez, rasez-moi tout ça !

La voix stridente d'Olivia Newton résonna dans le salon vide. Au même moment, on entendit un oiseau s'envoler dans un grand battement d'ailes.

Olivia et les démolisseurs se retournèrent vers le perron.

–Il y a une bête là-dedans ! fit observer un des hommes.

–Peu importe ! répliqua leur interlocutrice. Vous savez ce que vous avez à faire. Au travail !

–Très bien, madame ! lui lança le contremaître, une pointe de regret dans la voix. On va d'abord repérer les lieux.

Les enfants s'écartèrent rapidement de la fenêtre. Julia fit un faux pas et s'appuya contre la table aux pieds en forme de chouette. Un déclic se produisit, pareil au bruit d'un ressort, et le meuble recula de quelques centimètres.

La jeune fille en resta bouche bée, incapable de trouver une explication logique à ce phénomène. Avait-elle rêvé ?

–Jaaason...

–Quoi ?

–La table a bougé toute seule !

– D'accord, Julia... Attends une minute ! Je reviens ! rétorqua Jason en suivant Rick dans l'escalier.

Les deux garçons se glissèrent derrière la porte d'entrée de la Maison aux miroirs et reprirent leur observation à travers l'interstice laissé entre les gonds et le battant.

Les hommes de l'entreprise de travaux publics s'affairaient à l'arrière du camion. Tout en discutant, Olivia et Manfred se rapprochaient de la porte en bois bancale :

– Ça y est ! Ils vont enfin détruire cette vieille bicoque ! soupira Olivia en regardant avec dédain le porche.

Puis elle chuchota à l'oreille de son chauffeur :

– Ils ne vont pas tarder à localiser la porte, tu vas voir ! Sans cette carte, on aurait pu la chercher encore longtemps ! Dire qu'elle est là, dans la maison de Peter Dedalus ! Ah ! C'est le plus beau jour de ma vie !

Elle déroula la carte de Thos Bowen et, après un rapide coup d'œil, la glissa sous son bras :

– Il leur faut un temps pour se mettre au travail ! Qu'est-ce qu'ils fabriquent donc, ces bons à rien ? C'est tout de même incroyable : plus ils sont musclés, plus ils sont bêtes, ces hommes !

Manfred, dont la physionomie correspondait parfaitement à la description, approuva sans sourciller.

Comme guidé par son sixième sens, il scruta soudain le porche.

Les deux garçons ne bougèrent pas d'un pouce, sentant son regard inquisiteur balayer le seuil.

Apparemment, le chauffeur ne releva rien d'anormal. Déçu, il arbora une moue boudeuse.

Sa patronne, les mains sur les hanches, leva la tête vers la toiture, bien décidée à faire bouger les choses :

— Je vais leur dire de commencer par ce ridicule toit chauffant !... Tu entends ce vacarme ? Qu'est-ce que c'est que ces bestioles ? Des chouettes ? Brrrr... Je n'ose même pas y penser !

Olivia se retourna vers les ouvriers et leur cria :

— Réduisez-moi tout ça en poussière ! Allez, amenez cette pelleteuse ! Ou faut-il que l'on défonce la porte nous-mêmes ?

Manfred réagit immédiatement en saisissant la poignée. La porte grinça.

— Ça ne sera pas nécessaire. Elle ne tient que par un fil...

Rick et Jason retinrent leur souffle.

Derrière eux, Julia était pétrifiée. Elle osa enfin se retourner vers l'escalier. Telle une statue, une grosse chouette au plumage clair était perchée sur la rampe et l'observait, impassible...

– PRENDS-TOI ÇA, MON VIEUX ! hurla Rick en donnant un franc coup d'épaule contre la porte.

Le battant, menaçant, ondula vers Manfred, qui tendit les mains pour le stopper.

Olivia poussa un cri de putois.

Jason comprit les intentions de son ami et vint lui prêter main-forte. Dans un dernier gémissement, les gonds cédèrent, et la porte d'entrée s'écroula sur le malfrat.

Au sommet de l'escalier, la chouette s'envola.

– Filons ! lança Jason en cherchant sa sœur du regard.

Il se retrouva nez à nez avec le rapace qui, paniqué, effectuait un vol en piqué vers la sortie.

– Qu'est-ce que c'est que cette bestiole ? Partons ! Allez ! S'ils nous découvrent, on est faits comme des rats !

Julia n'avait pas bougé. Elle tendit la main vers la table et la toucha : elle était froide, couverte de poussière. Immobile, comme si rien ne s'était passé.

Les garçons la rejoignirent en un éclair.

– La chouette..., tenta-t-elle de leur expliquer. Elle était sur la rampe... La table...

Jason n'y prêta aucune attention :

– Filons, Julia ! Vite, avant qu'ils nous repèrent !
Ne perdons pas une minute ! Cette femme est
imprévisible...

L'oiseau de nuit s'était enfui par le porche et avait
disparu dans la poussière des décombres de la porte
d'entrée. Son cri se mêlait aux hurlements hysté-
riques d'Olivia dans la cour.

Les enfants se ruèrent hors du salon.

En sortant, Rick remarqua trois marques claires
sur le sol, à proximité de la table.

Aussi curieux que cela puisse paraître, on aurait
dit que le meuble s'était déplacé sur ses pieds.

Rick, Jason et Julia passèrent en trombe le porche, puis le portail, avant d'aller se tapir dans les hautes herbes. Ils regardèrent alentour, méfiants, se demandant s'ils avaient été repérés... Un bruit de pelleteuse les fit tressaillir. Ils restèrent silencieux, les yeux rivés sur la Maison aux miroirs. Tous les trois se sentaient impuissants face à son inéluctable destruction.

C'est alors qu'ils furent attirés par un étrange phénomène : là-haut, au-dessus du toit, une nuée de chouettes voletaient dans tous les sens.

– Je n'en ai jamais vu autant ! souffla Rick.

– Combien y en a-t-il, à votre avis ?

– Mais... qu'est-ce qu'elles font ?

Surpris par le bruit du moteur et la lumière du soleil, les oiseaux de nuit, devenus comme fous, s'échappaient des fenêtres du deuxième étage dans un tourbillon de plumes. Et ils s'élançaient en vol plané dans la cour en poussant des cris lugubres.

Olivia hurlait :

– Allez-vous-en, sales bêtes ! Fichez-moi le camp !

– On dirait qu'elles cherchent à protéger leur domaine, fit remarquer Rick.

Le moteur de la pelleteuse continuait de tourner.

– Vous croyez qu'ils vont vraiment la raser ? demanda Julia.

– Il faut les en empêcher à tout prix ! s'exclama Rick.

– Partons ! Vite, je ne veux pas voir ça ! fit Julia, horrifiée, en faisant mine de s'éloigner. On ne peut rien faire, de toute façon... Rester ici est trop risqué.

Jason et Rick ne bougèrent pas. Ils regardaient les chenillettes se rapprocher de la villa, au milieu du vacarme et de l'agitation des chouettes.

– À mort Olivia Newton ! À mort l'inventeur de ce stupide engin ! lança Jason au premier assaut de la pelle mécanique.

– Nooooon ! gémit Julia en se bouchant les oreilles.

– Elle s'attaque au toit !

– Il faut agir ! insista Jason.

Les trois enfants se sentaient pourtant incapables de faire le moindre mouvement. À chaque nouvelle offensive, leur estomac se nouait davantage.

Ils finirent par se rendre à l'évidence : Olivia et Manfred étaient des adversaires redoutables, et eux trois ne faisaient pas le poids...

Ils récupérèrent leurs bicyclettes et s'éloignèrent rapidement, tentant d'ignorer les bruits qui retentissaient dans leur dos.

Jason était hors de lui. Rick se consolait comme il pouvait, se repassant en boucle l'épisode de la chute

de Manfred dans l'entrée. Quant à Julia, elle était partagée entre la tristesse et la confusion.

Au sommet de la colline, les éoliennes s'étaient arrêtées, comme stupéfaites par l'intrusion de la pelleteuse et désormais privées de tout objectif.

Sur chacune d'entre elles s'était posée une chouette.

– Je ne sais pas ce qui me retient d'aller démolir sa superbe villa violette ! siffla Julia entre ses dents.

Les trois amis s'étaient arrêtés dans un endroit sûr, à une distance raisonnable de la Maison aux miroirs. Assis par terre, ils pouvaient apercevoir entre les herbes la mer, immobile et profonde.

– Ah ! Si seulement quelqu'un pouvait l'arrêter et la mettre sous les verrous ! pesta la jeune fille.

Elle prit un caillou et le lança aussi loin qu'elle pouvait, sous l'effet de la colère. Rick distribua le contenu de sa gourde ; l'eau était infecte et tiède.

Jason secoua la tête d'un air navré. Tel un automate, il mastiquait avec rage un grand brin d'herbe :

– On avait raison pour la carte..., marmonna-t-il.

Rick s'approcha de lui :

– ... et pour les portes ! Il n'y a pas que celles de la Villa Argo et de Mme Biggles. On sait maintenant qu'il y en existe d'autres, cachées dans les environs.

— On doit absolument récupérer cette carte et toutes les découvrir !

Les enfants étaient d'humeur maussade. Ils n'avaient pas le cœur à revenir en arrière et voir la Maison aux miroirs s'écrouler sous leurs yeux. Ils n'avaient pas non plus le courage de se rendre chez Olivia Newton. C'était comme si, brusquement, ils réalisaient à quel point cette femme était impitoyable.

— À votre avis, pourquoi Olivia cherche-t-elle une nouvelle porte ? Celle de Mme Biggles ne lui suffit pas ?

— Je n'en sais rien ! explosa Jason, la tête entre les mains. Je n'y comprends plus rien ! Qui est Olivia ? Que veut-elle ? À quoi servent ces portes ? Combien il y en a ? Où sont-elles ? J'en ai ras-le-bol ! Pourquoi personne ne nous aide ?

Furibond, il jeta son brin d'herbe par terre et essaya d'en cueillir un autre, qui résista.

— Tu veux un coup de main ? plaisanta Julia.

Piqué au vif, son frère s'acharna sur la tige jusqu'à s'écorcher les doigts. L'ayant arrachée, il se mit à le mâchonner.

Dans le ciel, une mouette, bercée par les courants, poussa son cri plaintif. Tout comme elle, Rick se sentait incapable de bouger et de parler. Il était accaparé par ses pensées.

– Je sais à qui appartenait cette maison..., articula-t-il au bout d'un moment. À l'horloger de Kilmore Cove. Sa bijouterie était située rue Chubber Sweet. J'y suis entré une fois, avec mon père.

Son regard s'illumina :

– Je me souviens... C'était mon premier jour d'école. On y était allés à pied. Voilà ! Je sais où j'avais déjà vu le dessin qui figure sur le panneau à l'entrée de la propriété ! Vous savez, la chouette blanche qui tient une montre dans son bec. Eh bien, elle décorait l'enseigne de son magasin. Il y avait marqué :

Peter Dedalus
Montres, horloges et autres gadgets à mesurer le temps

Jason cracha enfin son brin d'herbe.

– Je me rappelle... Quand on passait le seuil, un tas de petits grelots se mettaient à s'agiter. Maintenant, on voit ça partout. Je me suis même amusé à ouvrir et fermer la porte plusieurs fois de suite. Mon père a fini par se fâcher et m'a tiré de force jusqu'au comptoir. À l'époque, il me paraissait immense. La boutique était pleine de montres : de toutes les tailles, de toutes les formes et de toutes les couleurs. Chacune avait un tic-tac différent. Peter Dedalus, lui, se tenait au fond, derrière un rideau. Il écoutait une musique très particulière. Je ne l'ai plus jamais entendue, mais je suis sûr que je la reconnaîtrais entre mille.

– C'était quel genre d'homme, ce Peter Dedalus ?

– À vrai dire, j'étais tellement subjugué par les vitrines que je l'ai à peine regardé. Si mes souvenirs sont bons, c'était un petit homme souriant au long nez. Ce jour-là, il portait une chemise tachée. J'entends encore mon père l'interpeller : « Salut, Peter ! Je suis venu avec mon fils. » Je le revois me poussant du coude : « Rick, dis bonjour à Peter. » Il m'avait emmené là-bas pour m'offrir une montre. « Pour être à l'heure à l'école, comme les bons élèves », m'a-t-il expliqué. Il m'en a donc fait fabriquer une rien que pour moi.

Rick décrocha du cadre de son vélo sa montre-bracelet et la fit admirer aux jumeaux :

– Le bracelet est trop petit, et Peter Dedalus n'est plus là pour me le changer...

C'était une élégante automatique avec un cadran clair. En son centre trônait une chouette blanche, accompagnée des initiales de l'artisan : P. D.

– Elle est magnifique ! le complimenta Julia.

Jason, qui n'en avait jamais mis une à son poignet, se contenta de la soupeser :

– Et elle est légère !

Rick haussa les épaules :

– Elle n'a jamais retardé. Peter était très méticuleux.

Soudain, les trois enfants reprirent conscience du drame qui se déroulait dans la maison de l'horloger.

– Il faut à tout prix qu'on trouve un moyen de les arrêter..., déclara Julia.

– Comment veux-tu t'y prendre ? On est dimanche ! lui rappela Rick en récupérant son précieux bien. Et, de toute façon, tout le monde se fiche éperdument de la maison de Peter Dedalus. Pauvre Peter !

– Pourquoi ? Qu'est-ce qui lui est arrivé ?

– C'est assez mystérieux. Un beau matin, il a disparu. C'est ce que m'a raconté ma mère.

– Comme ça ? Sans laisser de trace ? Sans avertir personne ?

– Exactement. Il a laissé son horlogerie en l'état et n'y a plus remis les pieds.

Jason devina immédiatement ce qui avait bien pu arriver :

– Il a découvert la porte !

– Qu'est-ce que tu veux dire ?

– Un jour, Peter Dedalus a dû tomber sur la porte du temps dissimulée dans sa maison. Il l'a ouverte et n'est plus jamais rentré. Voilà ce qui s'est passé !

Sa version était à la fois simple et incroyable. Julia se dit que son frère avait décidément de bonnes intuitions.

Jason se releva, l'estomac dans les talons :

– À propos de montre, quelle heure est-il ?

– 15 heures 30.

– Et si on mangeait un morceau ?

Julia n'était pas encore redescendue sur terre. Elle songeait aux paroles de Rick :

– Et sa boutique, elle existe toujours ?

– Oui, bien sûr !

Chapitre 13
- Le miraculé -

Olivia Newton s'approcha de son homme de confiance en maugréant :

— Il ne manquait plus que ça ! Il faut toujours que tu te trouves au mauvais endroit au mauvais moment !

Après avoir aidé Manfred à se relever, les employés de l'entreprise CYCLOPS avaient insisté pour qu'il s'étende sur le drap blanc disposé par terre à son intention. Le chauffeur avait toutefois refusé et restait stoïquement debout à observer les travaux de démolition.

Sa combinaison de motard était maculée de poussière et de copeaux de bois. Son nez saignait de nouveau, l'obligeant à le comprimer. Et, fait beaucoup plus agaçant : ses lunettes de soleil préférées étaient encore en mille morceaux !

Il se tourna vers sa patronne et grommela quelque chose d'incompréhensible.

— Mais qu'est-ce qui t'est passé par la tête ? Franchement, je me le demande ! Rentrer dans une porte, il faut le faire ! Pfff ! en rajouta Olivia.

— Ce n'est rien, je suis un dur à cuire ! répliqua Manfred.

Il s'était enfilé une écharde sous l'ongle du pouce et souffrait le martyre à chaque mouvement de la main :

– Et puis, ce n'est pas entièrement de ma faute !

– Tu ne vas pas recommencer avec cette histoire de voix ! Tu as sûrement confondu avec les hululements de ces répugnantes bestioles !

– Puisque je vous dis que j'ai entendu quelqu'un parler à l'intérieur, juste avant que le battant ne s'écroule !

– Ah oui ? Et qu'est-ce que ce *quelqu'un* disait, hein ?

– « Prends-toi ça, mon vieux ! » se rappela Manfred, dont le sang ne fit qu'un tour.

La pelleteuse s'attaqua au toit de la Maison aux miroirs. Les ouvriers la guidaient d'en bas. Ils avaient tous revêtu des lunettes de protection et des protège-oreilles en plastique noir.

Les panneaux solaires se brisèrent les uns après les autres. Le bras articulé oscillait avant d'aller démolir les cloisons et les murs de soutènement. Il régnait alentour un bruit assourdissant.

Amusée par la scène, Olivia faisait de grands gestes :

– C'est fascinant !

Elle avait déposé à ses pieds un petit sac à dos.

– Fascinant, en effet..., répéta sur un ton nasillard Manfred, le mouchoir plaqué sur la narine.

Soudain, la pelle mécanique resta encastrée dans

un angle de la maison. Aussitôt, les ouvriers accoururent pour la dégager.

Au même moment, l'édifice tout entier s'ébranla dans un grincement lugubre et commença à pivoter. On aurait dit qu'un mécanisme d'urgence s'était enclenché, activant le système de rotation et prenant au piège l'engin de chantier.

– Bande de crétins ! vociféra Olivia. Je vous avais pourtant prévenus !

Entraîné par le mouvement, le bras jaune se tendit à l'extrême. L'équipe de CYCLOPS ne savait plus où donner de la tête.

– Ça sent les ennuis…, marmonna Manfred. Si la maison continue de tourner, ou le bras casse, ou la pelleteuse se renverse. Heureusement que j'ai garé la moto derrière la maison !

Il y eut un vacarme épouvantable.

Olivia se cacha les yeux :

– Pourquoi faut-il toujours que je sois entourée d'incapables ?

À ce moment-là, le monstre à chenillettes se pencha dangereusement sur le côté, avant de s'écraser de tout son poids sur le flanc. Happé par la Maison aux miroirs, il fut traîné par terre et malmené.

Au sommet de la colline, les moulins se remirent à tourner de plus belle.

*L*a rue Chubber Sweet devait son nom à la pâtisserie Chubber, située à l'angle de la ruelle et de la place principale de Kilmore Cove.

Derrière une devanture anodine, cachés par des rideaux brise-bise en macramé brodé, étaient jalousement conservées les douceurs qui faisaient la renommée de l'établissement : de gros cigares à la crème, des bavarois au glaçage acidulé ou des gâteaux au chocolat en forme de champignon... Dès que l'on franchissait le seuil, on était saisi par des odeurs de cacao, de vanille, de cannelle et de caramel, qui ne laissaient personne indifférent.

Julia, Jason et Rick retrouvèrent le sourire en s'achetant un assortiment de *scones* aux raisins, de beignets à la fraise et de brioches au chocolat fondant.

Ils les dégustèrent jusqu'à la dernière miette debout, devant la boutique de Peter Dedalus, située à quelques mètres de là.

Sur l'enseigne, on pouvait encore distinguer la chouette tenant une montre dans son bec. D'épaisses planches en bois avaient été clouées sur toute la surface de l'unique vitrine de l'horlogerie. L'entrée était protégée par une énorme porte, doublée d'une grille en fer forgé. Une curieuse serrure alambiquée en commandait l'accès. On y avait suspendu l'écriteau suivant :

COMMERCE À VENDRE
PRIX EXCEPTIONNEL
Tél : *** 7480020
(entrée par la cour)

Les enfants s'essuyèrent la bouche et suivirent les indications. Ils passèrent sous une sombre arcade en pierre et débouchèrent dans l'arrière-cour. Là, une porte détonnant avec le reste de l'édifice attira leur attention. Elle semblait avoir été récemment rajoutée. Une percée avait été effectuée à l'arrière du magasin, et l'accès avait ensuite été obstrué au moyen d'une porte. De grossiers coups de truelle laissaient à penser que le travail avait été fait à la hâte.

– Nous voilà bien avancés ! se plaignit Jason en constatant qu'elle était fermée à clé. On ne peut pas entrer par là...

Les jumeaux et leur ami rouquin revinrent vers la grille de l'entrée principale et se mirent à examiner la serrure :

– C'est encore un de ces systèmes farfelus ! s'exclama Rick. Cela ne m'étonne pas que les intrus aient préféré défoncer le mur de l'autre côté ! Peter

Dedalus était un génie en matière de mécanismes déli-
rants. Sa passion, c'était de construire des machines
ultraperfectionnées, capables d'effectuer les tâches les
plus variées. Vous savez qu'il a inventé un bras mécanique pour retranscrire les partitions de musique ?
Et des mains articulées pour retirer de l'eau
bouillante les œufs à la coque ! Il avait même mis au
point des minirobots complètement autonomes...

– Attends un peu : la table de la Maison aux
miroirs ! Elle aussi bougeait toute seule ! réalisa Julia.

– Tu nous casses les pieds avec cette histoire !

– Tu sais, Jason, je crois que ta sœur n'a pas rêvé,
intervint Rick. Ma mère avait entendu dire que Peter
Dedalus avait un salon meublé de fauteuils capables
de se déplacer sur leurs pieds. Elle trouvait cela très
utile pour mettre et débarrasser le couvert !

Cela fit sourire les enfants.

Le panneau central de la grille était très original :
rien n'était prévu pour introduire une clé ou enclen-
cher un mécanisme. D'apparent, il n'y avait que
le cadran d'une montre, équipé de deux longues
aiguilles immobiles, un calendrier perpétuel[1] dans la
demi-lune supérieure et deux remontoirs latéraux.

---

1. Calendrier permettant de trouver à quel jour de la semaine corres-
pond une date. Il fonctionne du 1er janvier de l'an 0 au 31 décembre 2499.

Jason tenta d'actionner le premier et découvrit avec surprise qu'il fonctionnait encore : les aiguilles se déplacèrent instantanément. Le deuxième, à gauche, servait à remonter le mécanisme.

– Les inventions de Peter étaient toujours des modèles de perfection, nota Rick d'un air satisfait.

– Je ne suis pas de ton avis : l'année du calendrier n'est pas la bonne, objecta Julia.

– Quelle heure est-il maintenant ? s'enquit Jason.

– 16 heures 15.

– Il suffit peut-être de régler cette drôle de montre à l'heure juste et de la remonter...

Il s'exécuta, mais rien ne se passa.

– Continue jusqu'à ce qu'elle se bloque, suggéra Julia.

Jason exhiba ses paumes toutes rouges :

– Tiens ! Tu n'as qu'à le faire ! Je ne sens plus mes doigts...

– Tu es gentil, mais je n'ai pas non plus envie de me faire mal.

– C'est toi qui as eu l'idée de venir ici !

Les mains sur les hanches, Julia le toisa :

– Ah bon ! Parce que, toi, tu avais un meilleur plan ?

– Tout à fait ! Si ça ne tenait qu'à moi, je serais directement allé poser quelques questions à Nestor à

la Villa Argo. Je suis sûr qu'il connaît ce Dedalus et sa Maison aux miroirs. Quelque chose me dit qu'il sait comment fonctionnent ces portes... et qui les a dissimulées. Vous avez pensé à ce détail ?

– Tu crois que c'est Ulysse Moore ? hasarda Julia.

– Mais non ! Ulysse n'a fait que nous fournir les indices permettant de les trouver. Il ne s'amuse pas à masquer les portes, il veut plutôt nous aider à les découvrir !

Julia réfléchit un instant, peu convaincue par les propos de son frère.

Jason se calma et continua à faire glisser le remontoir entre ses doigts. Mais, très vite, les jumeaux durent se rendre à l'évidence :

– Ça ne marche pas non plus de cette façon-là !

Un tic-tac discret se fit pourtant entendre, puis les aiguilles se mirent à tourner, ainsi que les années du calendrier. Une nouvelle heure s'afficha et une nouvelle année : 1206.

Jason ne se découragea pas, convaincu qu'il fallait caler le mécanisme sur ce chiffre. 1206, cela pouvait également signifier 12 heures 06. Il repositionna les aiguilles et recommença sa manœuvre.

Pour la deuxième fois, les aiguilles parcoururent le cadran, et le calendrier s'arrêta sur le 334.

– J'en ai marre ! capitula Jason. Je veux bien résoudre les codes secrets et étudier les cartes du tarot, mais les chiffres et les numéros, ce n'est pas mon truc !

– Les numéros ? réagit Rick. Et si on essayait d'appeler le numéro affiché sur l'écriteau ? Avec un peu de chance, on va tomber sur quelqu'un qui pourra nous expliquer comment ouvrir la grille.

– Bonne idée ! approuva Julia. Reste à trouver un commerçant qui veuille bien nous laisser utiliser son téléphone !

– Oui, oui, on a commencé à les lire, mademoiselle Calypso, mentit de manière effrontée la jeune fille, quelques minutes plus tard. Vous nous avez très bien conseillés d'ailleurs !

La libraire les dévisagea les uns après les autres, avant de fixer le garçon de son village :

– Toi aussi, Rick Banner ?

– Bien sûr..., balbutia-t-il.

– Je parie que tu ne te souviens même pas du titre du roman ! le houspilla Calypso en lissant les plis de sa robe bleue.

Rick se raidit, piqué au vif :

– Ce n'est pas vrai ! Je me rappelle très bien ! C'est... euh... *Le...*

Malgré ses efforts désespérés, il n'en avait plus aucun souvenir.

– Je t'écoute...

– Je vais vous dire la vérité, mademoiselle, intervint Julia.

– J'avoue que je suis assez curieuse.

Rick avait les joues en feu. Il avait encore l'air malin ! Quelle sale journée, décidément ! Il ne se reconnaissait plus. Où étaient passés son sens pratique, sa précision et son exactitude légendaires ?

– Voilà, mademoiselle Calypso..., se ressaisit Rick, adressant un regard complice aux jumeaux. Hier soir, j'ai dû terminer un autre ouvrage, et je n'ai pas eu le temps d'entamer le vôtre. Vous savez, j'ai horreur de laisser une histoire en suspens...

– Un autre livre ? Tu me surprends, Rick Banner !

La petite femme tapa dans les mains et feignit de s'évanouir :

– Raconte-moi un peu... Quel titre t'a maintenu éveillé toute la nuit ?

Rick annonça avec fierté :

– *Le crocodile des cartes oubliées.* C'est l'histoire du pharaon Toutankhamon qui se perd à l'intérieur d'une Maison de Vie égyptienne. C'est une espèce de gigantesque labyrinthe renfermant des milliers de niches dans lesquelles sont conservés des objets et des documents... Toutankhamon est poursuivi par un crocodile féroce qui veut retrouver une carte avant lui. Tous les fonctionnaires du Pays de Pount – c'est un très haut lieu de l'Égypte antique – se mobilisent, finissent par chasser le crocodile et sauver leur jeune pharaon.

Mlle Calypso se redressa :

– Intéressant...

– C'est paaassionnant, oui ! Je vous le prête volontiers, si vous le souhaitez.

Mais Calypso s'en tint à ce résumé.

– Nous autorisez-vous à téléphoner ? demanda Julia de sa voix la plus douce.

Le téléphone était caché derrière la caisse. Julia souleva le combiné et composa le numéro affiché sur la grille de la bijouterie. De l'autre côté du comptoir, Mlle Calypso faisait l'éloge d'un roman intitulé *Century*. « Une petite merveille », précisa-t-elle aux garçons.

En attendant d'avoir quelqu'un au bout du fil, Julia parcourut d'un œil distrait les diverses étiquettes sur les rayonnages qui l'entouraient : « commandes non retirées », « échanges (délais dépassés) », « commandes urgentes », « cadeaux »...

Son attention fut attirée par un ouvrage à la couverture en velours rouge, posé sur l'une des étagères

inférieures. Il était marqué par un gros point d'interrogation.

Elle tira sur le fil du téléphone et s'en approcha. C'était un vieux livre de poche aux pages jaunies et froissées, une photo d'un port de plaisance sur la couverture. Le titre la laissa sans voix :

LE VOYAGEUR CURIEUX
Petit guide de Kilmore Cove et de ses environs

Julia s'assura que personne ne la regardait : Calypso rangeait une pile de grands classiques de la littérature anglaise, et Jason et Rick feuilletaient distraitement un album.

Son cœur battait la chamade.

Le téléphone sonnait toujours dans le vide...

Calant le combiné dans le creux de son épaule, la jeune fille tendit la main vers le livre.

Elle essaya de l'ouvrir, mais les pages étaient attachées les unes aux autres, comme si personne ne l'avait encore lu. Dévorée par la curiosité, elle sortit le guide de son étagère.

Une feuille de papier tomba alors par terre. Julia se pencha pour la ramasser ; au même moment, le combiné lui glissa des mains et rebondit bruyamment contre la caisse. Calypso sursauta :

– Qu'est-ce qui se passe ?

En quelques secondes, Julia récupéra le papier, le fourra dans sa poche, remit le livre à sa place, saisit le combiné et se redressa tel un ressort. Elle arbora ensuite un air de petite fille sage. Tentant de maîtriser la panique qui la gagnait, elle répondait à l'interlocuteur qui se manifestait enfin au bout du fil :

– Allô ? Oui, bonjour !... J'appelle au sujet de la bijouterie de Peter Dedalus... Oui, oui, celle de Kilmore Cove. Hm, hmm... Hm, hmm... Ah, d'accord ! Bon, ça ne fait rien. Excusez-moi de vous avoir dérangée. Merci beaucoup ! Au revoir !

Elle s'empressa de raccrocher et vérifia du coin de l'œil si le guide était bien sur son étagère. Elle contourna le comptoir et alla rejoindre les garçons, sans cesser de sourire à Calypso.

– Alors ? demanda Jason.

– Je n'ai rien appris de plus. Je suis tombée sur la femme de ménage, l'agence immobilière était fermée.

– Mais oui, c'est dimanche ! Qu'on est bêtes !

– Hm, hmm..., fit-elle pour toute réponse en pointant du menton la porte d'entrée.

Devant son insistance, Jason et Rick prirent congé de Mlle Calypso et sortirent.

La libraire les regarda s'éloigner, postée derrière sa vitrine, avant de poursuivre ses rangements en fredonnant une chansonnette.

Le trio venait de disparaître au coin de la rue quand une touriste entre deux âges poussa la porte de *L'île de Calypso*. Elle portait un chapeau en toile et de petites tennis blanches. D'un pas décidé, elle se dirigea vers les romans d'amour et, sans hésitation, choisit un livre à la couverture rose :

– Je prends celui-ci.

– Très bon choix, la félicita Calypso.

Elle tapa le montant sur sa vieille caisse enregistreuse, qui émit un bruit de pendule. Perché à son sommet, un petit automate en fer souleva son chapeau tandis que le ticket de caisse sortait à ses pieds.

– Tenez ! fit Calypso en remettant le paquet à sa cliente.

– Vous avez là une bien belle caisse ! C'est une pièce d'antiquité, j'imagine...

– Tout à fait, et elle est encore en parfait état, répondit Calypso en caressant les touches rondes en cuivre. C'est un artisan du village qui l'a fabriquée.

– Alors, elle doit être résistante ! Espérons que vous ne serez pas obligée de la changer d'ici peu pour vous mettre aux normes !

– Espérons..., sourit Calypso. Entre nous soit dit, je doute que l'on vienne me contrôler dans un coin aussi perdu que celui-ci...

La libraire referma le tiroir et releva le nez. Son

regard fut attiré par le compteur du téléphone accroché sur le mur, à droite du comptoir.

« Voyons voir combien la communication des enfants m'a coûté..., fit-elle en rajustant ses lunettes. Tiens, c'est curieux, aucune nouvelle unité n'a été enregistrée... »

À peine sortie de *L'Île de Calypso*, Julia se mit à courir vers la rue Chubber Sweet.

En arrivant à sa hauteur, les garçons, intrigués, lui demandèrent pourquoi elle avait voulu quitter la librairie aussi précipitamment. Pour toute réponse, elle extirpa de sa poche une feuille de papier froissée.

– Où as-tu déniché ça ?

– Dans un vieux guide de Kilmore Cove !

Au recto, un train sortant d'un tunnel avait été esquissé au crayon. Une annotation précisait : « Que deviennent les rails au-delà du tunnel ? » Au verso, un autre dessin représentait la statue du roi d'Angleterre, devant laquelle les enfants étaient passés le matin même. En dessous, on pouvait lire : « ??? En Angleterre, il n'y a jamais eu de roi William V ! »

– Qu'est-ce que ça veut dire ? s'exclama Rick, les mains tremblantes. C'est une plaisanterie ou quoi ?

– Je n'en sais rien, je n'ai jamais été très forte en histoire, avoua Julia.

– Pourquoi ériger la statue d'un roi qui n'existe pas ? Ça n'a pas de sens !

– On dirait Nestor ! plaisanta Jason, faisant rire ses compagnons. Et cette histoire de rails ? Qu'est-ce qu'on est censé trouver au-delà du tunnel ?

Rick secoua la tête, perplexe :

– Je n'en ai pas la moindre idée. On n'a qu'à aller vérifier ! C'est à cinq minutes à vélo d'ici.

Jason revint se poster devant la grille de la bijouterie de Peter Dedalus :

– Je voudrais d'abord entrer là-dedans.

– C'est peine perdue ! Impossible de débloquer ce mécanisme...

– C'est vous qui le dites ! rectifia Jason d'un air rusé.

La découverte de sa sœur avait ravivé ses espoirs. Il avait le sentiment qu'Ulysse Moore ne les avait pas complètement abandonnés et qu'il cherchait à reprendre contact avec eux :

– Il faut d'abord essayer de comprendre le principe...

La date du calendrier n'avait pas changé depuis tout à l'heure.

– La solution se cache dans le calendrier. À mon avis, c'est ça qui sert de clé..., hasarda Jason. À toi de cogiter, Rick !

Rick se mit à réfléchir tout haut :

– Voyons... 334, ce n'est pas la bonne année. Par contre, le jour et le mois affichés sont justes. Ce qui signifie que 334 n'est pas une année à proprement parler. Il faut peut-être caler les aiguilles de la montre sur 3 heures 34...

– J'ai déjà tenté, ça ne marche pas.

Rick poursuivit :

– Et si on faisait concorder ce chiffre avec un autre ?

– Lequel ?

– L'heure à laquelle on veut rentrer dans le magasin, par exemple !

– Quelle heure est-il ?

– 17 heures 00, précisa Julia.

– On n'a qu'à transformer 17 heures 00 en 1 700. 1 700 + 334 font... 2 034.

– Maintenant, calons les aiguilles sur 2 034...

Rick s'occupa des aiguilles, et Jason actionna le remontoir.

BZZZZ..., fit la grille, sans s'ouvrir pour autant. Les aiguilles se mirent à bouger au hasard, et le calendrier afficha 116.

– Loupé ! soupira Julia.

– Pas sûr. Tu as remarqué ce bruit ? releva Rick. C'est la première fois qu'on l'entend.

Ils recommencèrent l'opération depuis le début. Étant donné qu'une minute était passée, ils refirent leurs calculs : 1 701 + 116...

– 1 817 ! calcula Rick, en déplaçant tout douce-ment les aiguilles sur 18 heures 17.

Jason remonta le mécanisme...

BZZZZ !

– La grille ne s'est pas ouverte ! gémit Julia.

Mais la jeune fille n'avait pas bien regardé...

Chapitre 15
- Le gardien du phare -

Dans le jardin de la Villa Argo, Nestor entendit le gravier crisser. L'instant d'après, il vit une ombre frôler la sienne. Retenant son souffle, il fit volte-face... et se retrouva nez à nez avec Léonard Minaxo.

– Salut ! lança le gardien du phare de sa voix caverneuse.

Son pantalon était trempé jusqu'aux genoux et un bandeau en cuir noir lui barrait l'œil droit.

Nestor poussa un soupir de soulagement :

– Léonard ! Tu m'as fait une de ces peurs ! D'où viens-tu ?

Minaxo pointa du doigt l'escalier taillé dans la falaise :

– D'en bas.

Le jardinier s'approcha du bord. Un bateau de pêcheurs avait accosté sur la petite plage privée. Nestor salua ses occupants d'un signe de la main.

– Qu'est-ce que ça a donné ?

– Rien. On rentre bredouilles.

Le gardien du phare promena son regard sur le jardin et sur l'entrée de la maison, indifférent au vent qui ébouriffait ses longs cheveux. Son visage était strié de rides. Ses mains énormes et noueuses portaient la marque de cicatrices multiples.

– Cela fait un sacré bout de temps, ajouta-t-il, pensif, sans même se tourner vers son interlocuteur. Ils sont là ?

– Non, il n'y a personne. Ils sont descendus au village.

– C'est risqué, tu ne crois pas ?

Nestor reprit son râteau et s'éloigna quelque peu :

– Je n'ai pas le choix.

– Ça n'a pas toujours été le cas.

– Les enfants sont à la hauteur.

Minaxo commença à siffler. Il produisait un son très mélodieux, dont les notes se mêlaient au vent. Tout d'un coup, il baissa d'une octave, entamant une complainte.

– Oh, non, Léonard, je t'en prie ! Arrête !

– Arrête..., répéta Minaxo. Voilà précisément ce que je suis venu te dire, Nestor : arrête tout ça !

Sur le toit de la Villa Argo, deux écureuils étaient apparus.

– Tu voulais me parler d'autre chose, ou tu as fait tout ce chemin juste pour me dire ça ?

– Je voulais revoir la maison et te prévenir qu'on n'avait repêché aucune clé...

– On avait peu de chances, mais ça valait la peine de tenter.

– ... et aucun corps, finit le gardien.

Nestor se contenta de hocher la tête. Il était descendu ce matin près des rochers et, lui non plus, n'avait pas relevé de traces de Manfred. Le chauffeur d'Olivia Newton avait dû plonger dans l'eau. Étant donné que personne ne l'avait retrouvé ni en mer ni sur terre, il devait probablement s'en être sorti. Peut-être manigançait-il déjà un nouveau plan avec sa redoutable patronne.

– Merci, Léonard. On a fait notre maximum.

Léonard Minaxo croisa les mains sur son torse musclé et se remit à siffler longuement. Puis il dit :

– On avait déjà essayé, et on avait décidé de ne plus recommencer.

Un corbeau vint se poser sur une des branches du sycomore et fixa les deux hommes.

Nestor dévisagea son ami de la tête aux pieds. L'unique œil du gardien était assorti au ramage de l'oiseau.

– Léonard, je crois que...

Le géant le toisa avec un étrange sourire et déclama d'un trait quatre vers, une pointe d'amertume dans la voix :

> *Solitaire est resté un roi*
> *Qui perdra la partie.*

Il veut gagner contre trois
Et il leur fera perdre la vie.

Nestor devint livide :

– C'est encore une de tes prophéties, Léonard ?

Minaxo haussa les épaules :

– Peut-être bien... Sache qu'elles se révèlent quasiment toujours exactes...

– Pourquoi m'as-tu récité ce poème ?

– Parce qu'il est grand temps pour toi de comprendre qu'il faut laisser tomber et sortir du jeu. La partie est finie, Nestor. Tu dois te rendre à l'évidence.

– J'ai un devoir à...

– NON, CE N'EST PAS VRAI ! Tu n'as aucun devoir, tu m'entends !

Léonard secoua la tête avec fureur :

– Et, surtout, tu ne peux pas le confier à trois gamins ! Réfléchis un peu ! C'est dépassé, tout ça ! On est à l'époque des voyages dans l'espace, des téléphones par satellites, des ordinateurs !

– Tu oublies notre bataille contre Olivia...

Le gardien du phare vint se planter à quelques centimètres du domestique. Il lui désigna la villa et la table de jardin autour de laquelle les enfants avaient pris leur petit déjeuner :

– Ne les mêle pas à cette histoire !

– Mais Olivia...

– Ce n'est pas à Olivia Newton que tu en veux ! enragea Léonard. C'est à la terre entière ! Ce qui s'est passé ne t'a pas suffi ? Tu as déjà oublié ?

Il souleva son bandeau. Nestor détourna les yeux : il n'avait jamais eu le courage de regarder.

Léonard se couvrit de nouveau l'œil avant de conclure à mi-voix :

– On n'a pas causé assez de malheurs ?

Un silence pesant s'installa. Là-haut, les écureuils bondirent sur les branches d'un frêne. Le corbeau s'envola.

Léonard Minaxo attendit de retrouver son calme avant de poser une main sur l'épaule du jardinier :

– Je suis désolé. Je ne voulais pas être aussi dur avec toi... Oublie la mission que t'a confiée ton ancien maître...

Nestor releva lentement la tête jusqu'à ce que son regard croise celui de son ami :

– Si ce n'est pas moi qui l'accomplis, qui s'en chargera ?

– Sûrement pas trois gosses de onze ans !

– Et pourquoi pas ?

– Parce que ça les dépasse !

Nestor se mordit la lèvre :

– Tu en es certain ?

– Tu as entendu ce que je viens de te chanter ?

– Ce n'est qu'un poème.

Léonard soupira, exaspéré :

– Et où crois-tu que la vérité se cache ? Dans les poèmes !

Nestor hocha la tête, l'air sombre. Il serra longuement la main de Léonard, qui prit congé.

Il le regarda descendre les escaliers de la falaise et remonter à bord du bateau. Il fit signe aux pêcheurs et resta là sans bouger, comme pétrifié.

Il avait les yeux brillants.

Il se sentait désespérément seul.

Dès que Jason constata que la grille s'était ouverte, il s'engouffra dans l'horlogerie, suivi de Rick et de Julia. L'après-midi touchait à sa fin. La ruelle était baignée par une lumière chaude d'un jaune intense. Le local, en revanche, était plongé dans l'obscurité la plus totale.

Les enfants laissèrent la porte entrouverte pour profiter de la clarté du jour.

Jason céda sa place d'éclaireur à Rick, qui essaya tant bien que mal d'évoluer au milieu du décor qu'il avait jadis connu.

La boutique se composait d'une pièce unique, entourée de rayonnages. Des centaines de montres y étaient présentées. Elles étaient restées là, au même endroit, arrêtées, silencieuses. Il y en avait de toutes sortes : en métal et en nacre, en or et en ivoire. Semblables à des visages, leurs cadrans affichaient une moue boudeuse ou un large sourire, suivant la position de leurs aiguilles.

La première chose qui frappa Rick fut le désordre ambiant.

Les tiroirs du comptoir étaient tous ouverts. On aurait dit que quelqu'un les avait passés au peigne fin. La tapisserie qui en ornait le fond avait été arrachée. Des papiers et des élastiques jonchaient le sol. La caisse enregistreuse penchait sur le côté, miraculeusement retenue par la vitrine. C'était un véritable capharnaüm.

Conformément aux souvenirs de Rick, un rideau sombre séparait le magasin de la partie atelier. Il l'écarta et tenta de distinguer quelque chose : l'arrière-boutique n'avait pas été épargnée, elle non plus.

Les trois enfants s'approchèrent de la porte de fortune qui avait été ajoutée côté cour et l'ouvrirent en grand, laissant entrer un faisceau lumineux.

– Quel bazar ! commenta Julia. On dirait que quelqu'un a tout retourné, ici !

Les outils de précision et les minuscules pièces détachées dont l'horloger se servait étaient éparpillés un peu partout ; les tiroirs, éventrés. Une collection de disques en vinyle gisait par terre, en mille morceaux, à côté des pochettes originales.

Pourtant, une grande partie des objets fabriqués ou inventés par Peter étaient toujours là. C'était le cas d'une série de montres finement décorées, d'un échiquier et de quelques pions, d'une pendule de bureau et d'une lampe fixée sur une chaîne entortillée.

– Bizarre… J'ai l'impression que les voleurs ont fouillé partout et pris ce qui les intéressait, laissant intacts les horloges et les objets précieux…, supputa Jason.

Rick ne releva pas. Il faisait les cent pas dans la boutique. Silencieux, il contemplait le désastre.

– Si je pouvais mettre la main sur ceux qui ont fait ça ! s'écria-t-il enfin. Quelle bande de voyous ! D'abord, ils s'attaquent à son magasin, ensuite à sa maison. Mais qu'est-ce qu'ils cherchent, à la fin ?

Les jumeaux secouèrent la tête : ils n'en avaient pas la moindre idée.

– Nestor a raison : le jour où Olivia a mis les pieds à Kilmore Cove est à marquer d'une pierre noire ! lança Julia. Elle n'a causé que des malheurs. Elle a bouleversé la vie de Mme Biggles, qui menait une existence bien tranquille auprès de ses chats, ignorant tout sur la porte de sa cave. Maintenant, elle est en train de raser la Maison aux miroirs... C'est la méchanceté incarnée !

– Son but est clair, fit Rick, elle veut régner sur Kilmore Cove, trouver les portes du temps et elle s'en donne les moyens.

Le garçon s'arrêta devant une des vitrines. Subitement pris d'une illumination, il appela ses amis :

– Hé, venez voir !

– Quoi ?

– Jason, tu as gardé le pion de la dame qu'on a trouvé derrière l'aquarelle de Pénélope Moore ?

Le jeune homme fouilla dans ses poches :

– Le voilà ! Pourquoi ?

– Parce qu'il vient de là ! fit Rick en désignant la paroi de verre.

Ils avaient sous les yeux un jeu d'échecs fabriqué avec deux bois différents, l'un clair, l'autre foncé. Certaines pièces, d'une dizaine de centimètres de haut, étaient toujours positionnées sur les cases. Elles ressemblaient à celle que Jason avait précieusement conservée.

– C'est incroyable ! s'exclama Julia.

– Les Moore et Peter Dedalus se connaissaient donc, en déduisit Jason.

– Pourquoi cacher un pion derrière un tableau ? Je ne comprends pas…, fit Rick, perplexe.

Le pion en question était une dame blanche. Et il y avait un fort déséquilibre sur l'échiquier, au profit des noirs.

– Regardez ! Il reste la dame noire ! fit remarquer Jason en approchant la pièce trouvée derrière l'aquarelle.

Rick le stoppa net :

– Mieux vaut ne rien toucher. La partie n'est pas terminée. Et notre dame a été éliminée…

Les jumeaux observèrent la position des autres pièces.

– Les échecs, ce n'est pas mon truc ! soupira Jason au bout d'un moment.

Il n'était pas tout à fait honnête : dans les parties *blitz*[1], il était très fort. Mais, si la partie durait un peu trop longtemps, son cerveau entrait en ébullition et, dans la plupart des cas, il finissait par perdre.

– C'est à qui le tour, à votre avis ? Aux blancs ou aux noirs ? lança Julia.

– Je ne peux pas te dire, répondit Rick.

– Je me demande qui pouvaient bien être les joueurs !

– Que diriez-vous de Peter Dedalus contre... Ulysse Moore ? Notre dame est blanche. Peter avait sans doute les noirs.

Jason étudia de nouveau le jeu :

– Dites, vous comptez passer l'après-midi à bâiller devant cet échiquier ? Je vous rappelle qu'on a des mystères à résoudre...

Julia, elle, ne s'ennuyait pas du tout :

– Ça ne te fascine pas, toi, cette partie figée depuis des années ? C'est tout de même fabuleux ! Quand je pense qu'elle a été interrompue pour je ne sais quelle raison...

---

1. Partie rapide, au cours de laquelle chaque adversaire dispose d'un temps de jeu de 20 minutes maximum.

Jason s'énerva :

– Justement, c'est peut-être mieux de la laisser en l'état.

– De toute façon, on est bien obligés. On ne sait pas qui doit jouer...

– Je pense que c'est aux blancs, intervint Rick.

– Comment peux-tu l'affirmer ?

Rick haussa les épaules :

– Je n'en suis pas certain à cent pour cent. Mais Peter Dedalus n'a pas pu disparaître de Kilmore Cove sans avoir joué son dernier coup.

– Tu crois ? rigola Jason. Alors, il n'était pas très doué ! Parce que, moi, j'aurais pris ce cavalier-ci et...

À peine Jason avait-il soulevé la figurine, l'échiquier se mit à trembler.

– Jason ! cria Julia, paniquée. Qu'est-ce que tu as fabriqué ?

Son frère s'immobilisa avec son pion dans la main, les yeux écarquillés :

– Euh, moi... ?

Un bruit de tic-tac, très lent, se fit entendre.

– Jason ! Remets-le tout de suite où il était ! hurla Julia. Tu as déclenché quelque chose !

Rick lui saisit le bras :

– Non, attends ! Il est trop tard. Tu ne peux pas le replacer. Avance-le !

Jason sentit sa gorge se serrer :

– Comment ça ?

Le tic-tac s'intensifia.

– Tu as réactivé le jeu, Jason. Et, désormais, tu n'as pas le choix, il faut continuer. Aux échecs, on ne passe pas son tour. Le tic-tac que tu entends est très vraisemblablement une sorte de compte à rebours, comme dans les parties qui se jouent à la pendule[2]. Vas-y ! Où voulais-tu placer ton cavalier ?

Jason, nerveux, étudia son coup. Le stress lui embrouillait les idées.

– Si on le met là..., balbutia-t-il en titubant, on prend le roi.

Il positionna sa pièce, et le bruit cessa.

– Tu es sûr de toi ?

– Euh... oui...

Jason était pourtant en proie à d'atroces doutes.

Soudain, le plateau vibra, comme si une succession de rouages s'était enclenché à l'intérieur.

Les enfants reculèrent de plusieurs pas en direction de la sortie.

---

2. Certaines parties se jouent avec une pendule, comprenant un cadran par joueur. Chaque adversaire dispose du même temps de jeu et la durée de la partie est limitée. Un joueur peut perdre une partie au temps, même s'il est gagnant sur l'échiquier.

Puis, une à une, les figurines se couchèrent sur le flanc. Sur le côté de l'échiquier, un petit tiroir s'entrouvrit.

– Bien joué, Jason. Échec et mat ! s'écria Rick en s'approchant du jeu.

Le tiroir n'était pas vide.

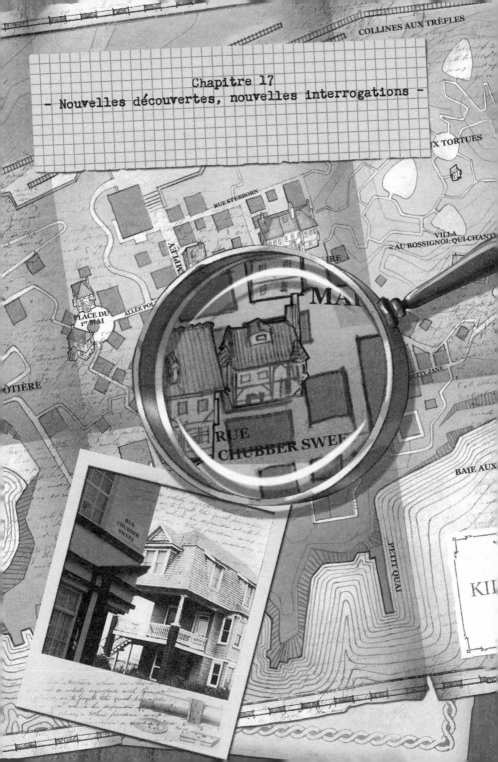

COLLINES AUX TRÈFLES

IX TORTUES

Chapitre 17
— Nouvelles découvertes, nouvelles interrogations —

RUE STUBBORN

VILLA
« AU ROSSIGNOL QUI CHANTE »

MPLEY

MA

PLACE DU
1ᵉʳ MAI

ALLÉE POL

IRE

BETTY JANE

ÔTIÈRE

RUE
CHUBBER SWEE

BAIE AUX

RUE
CHUBBER
SWEE

PETIT QUAI

KIL

Nestor regarda sa montre pour la deuxième fois. Il passa en revue le rez-de-chaussée de la Villa Argo, puis soupira, exaspéré. Mais où étaient-ils donc ? Il était presque dix-huit heures, et ils n'étaient toujours pas rentrés.

Les paroles de Léonard résonnaient encore dans son esprit : « C'est risqué... »

Il fallait reconnaître que son ami était particulièrement doué en matière de prémonitions. Même borgne, il voyait souvent des choses que la plupart des gens ne percevaient pas. Ses poèmes avaient toujours un sens caché.

Nestor n'était pas du genre à s'inquiéter, mais l'absence prolongée des enfants ne le rassurait guère. Le dernier vers de Léonard repassait en boucle dans sa tête. « Et il leur fera perdre la vie. »

Il repensa aux bicyclettes mal réglées que les enfants avaient enfourchées... Tourné vers la falaise et la mer moutonnante, il reposa la question à haute voix :

– Bon sang, où êtes-vous ?

Il se dirigea en boitant vers sa bicoque en bois et en ressortit avec une paire de jumelles. Il revint se poster en haut de l'escalier de Salton Cliff et se mit à sonder la plage et la côte. Des quintes de toux le secouaient régulièrement.

Là-bas, au loin, il distingua Léonard qui ouvrait la porte du phare et s'engouffrait à l'intérieur.

Dans le village déambulaient des touristes, débarqués là au hasard de leurs pérégrinations. Nestor était prêt à parier qu'une fois rentrés chez eux ils oublieraient très vite ce petit coin de Cornouailles.

Il songea à la mère des jumeaux, qui avait déjà appelé à deux reprises, cet après-midi. À chaque sonnerie, il avait dû inventer toutes sortes d'excuses pour justifier leur absence.

–Je te préviens : si tu touches à un seul de leurs cheveux..., marmonna-t-il dans sa barbe en scrutant le village de Kilmore Cove, tu vas me le payer ! Je te le promets !

« Du reste, il y a longtemps que j'aurais dû réagir. On aurait tous dû réagir... »

Une crampe au bras obligea Nestor à poser ses jumelles.

–Ils seront là d'une minute à l'autre, murmura-t-il, en tentant de se rassurer.

Ah, le temps ! Tout était toujours une question de temps !

Vingt mètres plus bas, la mer allait et venait, se faufilant entre les rochers à la recherche de secrets immergés.

Les branches du sycomore, du frêne et du chêne oscillaient dans le vent. Des mouettes faisaient halte sur le toit de la Villa Argo avant de repartir en quête de courants porteurs.

Rien, dans ce paysage, n'était immobile.

Tout bougeait, tout se métamorphosait. Et le temps régissait les règles de ce mouvement chaotique, le supervisait avec son air moqueur.

Les clés étaient réapparues, ouvrant de nouveau les portes du temps... Qui les avait remises en circulation ?

Le temps ?

– Même les clés ne restent jamais au même endroit, confia Nestor à la mer. Elles se déplacent toutes seules, à l'affût de nouvelles serrures. Elles passent de main en main, de poche en poche, de tiroir en tiroir, avant de se faire oublier. Puis, tout d'un coup, on les retrouve chez une autre personne. Et tout recommence...

Une voix cria son nom, l'extirpant brusquement de ses pensées.

Il se retourna vers la dépendance.

Personne.

Il leva la tête vers les fenêtres de toit de la Villa Argo.

Personne.

Il distingua enfin, derrière le portail, une sil-houette familière : Rick, à vélo, s'approchait de la propriété, suivi de Julia et Jason, juché sur une curieuse bicyclette rose. Un concert de carillons l'accompagnait.

–Nestoooor ! Nestor ! Regardez ce qu'on a trouvé !

Le vieil homme eut envie d'éclater de rire pour relâcher toute la tension accumulée et de serrer les enfants dans ses bras. Mais il s'obligea à garder contenance et se limita à pousser un soupir de soula-gement.

Rassuré, il boita vers le trio, le cœur léger.

–Bel engin, Jason ! commenta-t-il. Tu as dû faire des envieuses à Kilmore Cove...

Jason, Julia et Rick s'empressèrent de montrer à Nestor la feuille volante qu'ils avaient récupérée entre les pages du guide touristique, avant de le bombar-der de questions :

–Vous pouvez nous dire où mènent les rails du train ?

–Et la statue sur la place ? C'est vrai que le roi William V n'a jamais existé ?

–Vous n'avez rien remarqué de spécial au village ?

– Vous avez vu qu'il n'y a même pas de panneau à l'entrée ?

– Où est le tunnel sous lequel passe le train ?

– Et la gare, elle est où ?

– Vous étiez au courant qu'il existait d'autres portes du temps ?

– Vous connaissez Cléopâtre Biggles ?

– Et le domaine de la Chouette ?

– Pourquoi ne pas nous avoir dit que Pénélope peignait ?

– Pourquoi a-t-on caché une pièce de jeu d'échecs derrière une de ses aquarelles ?

– Qu'est-ce que vous savez sur Peter Dedalus ? hasarda enfin Julia.

Nestor n'aimait pas cette avalanche de questions. Elle ne laissait rien présager de bon :

– Peter Dedalus ? C'était l'horloger du village.

– Il venait souvent ici ?

– Pourquoi me demandez-vous ça ?

– C'était un ami de l'ancien propriétaire de la villa, n'est-ce pas ?

– Un ami, je n'irais pas jusque là. Mais, oui, ils se connaissaient...

– Regardez ce que nous avons découvert dans sa boutique ! lança Jason, triomphant.

Nestor saisit avec une certaine circonspection une grosse enveloppe, sur laquelle on avait couché d'une écriture fine et minutieuse :

À l'attention de mes seuls et uniques amis
Pénélope et Ulysse...
(mieux vaut tard que jamais)

Nestor écarquilla les yeux et la retourna dans tous les sens, ne sachant que faire.

– Ouvrez-la ! l'encouragea Rick.

– On verra ça demain. Je... je pense qu'il est temps de rentrer chez toi, mon garçon, balbutia Nestor, visiblement tendu.

– Je ne vais pas tarder...

Jason observa du coin de l'œil le jardinier qui extirpait l'objet contenu dans l'enveloppe.

C'était un disque en vinyle noir, sans pochette ni étiquette.

À sa vue, Nestor sursauta :

– Où l'avez-vous trouvé ?

– Dans son atelier.

– C'est impossible d'y pénétrer. Il est protégé par un système de fermeture ultrasophistiqué, déclara le jardinier en rejoignant la grande maison.

– On a réussi à ouvrir la grille.

Nestor ne put retenir un sourire. Fort heureusement, aucun des enfants ne s'en aperçut.

– Rien ne nous est impossible ! fit Julia d'un petit air malicieux tout en passant ses bras autour des épaules des garçons.

Ils suivirent le jardinier à l'intérieur de la Villa Argo.

– Il y a un tourne-disque quelque part ? poursuivit la jeune fille.

Nestor grommela une réponse.

– J'ai comme l'impression que ce vinyle va nous donner des indications sur ce qu'on cherche…, murmura Jason.

– Et que cherchez-vous exactement ? demanda Nestor en les précédant dans l'escalier.

– Ulysse Moore, évidemment !

– Alors, là, vous vous trompez d'endroit. C'est au cimetière qu'il faut aller !

Arrivé au premier étage, Nestor guida les enfants à la bibliothèque.

Le vieil homme ouvrit la malle cachée derrière le divan en peau de buffle et en retira les différentes pièces d'un vieux gramophone. Il confia le pavillon en cuivre à Jason et alla installer la boîte de l'appareil au centre de la pièce. Julia en profita pour montrer à Rick l'arbre généalogique qui ornait le plafond.

Nestor assembla ensuite les deux parties et plaça le disque sur la platine. Il posa le manche sur le premier sillon et remonta la manivelle.

Au bout de quelques vaines tentatives, le son s'éleva.

Jason, Rick et Julia ne perçurent tout d'abord qu'un léger grésillement accompagné du *toc-toc* régulier rythmant le passage de l'aiguille d'une rainure à l'autre. Puis, à leur grande surprise, ce ne fut pas une mélodie qui emplit la pièce, mais une voix.

C'était la voix de Peter Dedalus.

Les enfants se rapprochèrent de l'appareil, muets et silencieux. Nestor toussa et s'appuya contre le piano.

GARE

RUE STUBBORN

PEMPLEY

RUE

ÉCOLE PRIMAIRE
ET COLLÈGE

PLACE
SAINT-JACOB

MAIRIE

CHURCH SWEET

EL RUE

PLACE
WILLIAM V

AUBERGE
« AU GRAND LARGE »

PARC AUX TORTUES

FALAISE D

PETIT QUAI

Plan touristique
du village de

KILMORE COVE

Cornouailles

RÉCIFS « LES AILERONS DE REQUIN »

*L*e disque grésillait :

— Ma chère Pénélope, mon cher Ulysse... Oui, je sais, ma façon de sortir de scène est très lâche, mais c'est la seule qui me soit venue à l'esprit. Je suis à bout de forces. Je n'ai plus ni courage ni volonté. Dehors, il pleut à verse, et je crois que j'ai mérité ce sale temps pour ma dernière journée à Kilmore Cove. La pluie qui cingle mon toit en miroirs renforce mon sentiment de solitude. J'ai tout gâché ; ce n'est que maintenant que j'en prends conscience. Je n'en peux plus. Je n'ai aucune illusion : la rouille rongera le système de rotation de ma précieuse maison, elle qui doit être exposée au soleil le plus possible, et le sel finira par bloquer les pales des éoliennes au sommet de la colline.

La porte me nargue. Mais, avant que je ne quitte définitivement Kilmore Cove, sachez que ce fut un grand honneur pour moi d'avoir compté parmi vos amis et d'avoir été associé à votre grand projet. Nous avons bien fait de cacher les clés et de masquer les portes, en attendant des temps meilleurs. C'était l'unique moyen de sauver Kilmore Cove et de préserver son secret. Malheureusement, je suis coupable d'une erreur, que je dois vous confesser. Ma faute et ma faiblesse ont les traits et le nom d'une femme :

Olivia Newton. Je suis responsable de l'échec de notre plan. Oui, c'est à cause de moi que, désormais, cette femme vous persécute.

Je vais tout vous raconter depuis le début, afin que vous puissiez comprendre l'évolution des choses. J'ai fait la connaissance d'Olivia Newton un samedi après-midi, dans ma boutique. J'étais en train d'effectuer des réparations dans mon atelier, à l'arrière, quand elle est entrée. Au premier coup d'œil, je l'ai prise pour une de ces touristes que l'on voit se balader dans le village de temps à autre. Après tout, il y a encore une route qui mène jusqu'ici, même si nous avons retiré les panneaux, rayé des cartes le nom de notre localité et démonté les rails au-delà du tunnel. Nous nous sommes donné tellement de mal pour essayer d'effacer toute citation, illustration, photo ou livre qui fasse référence à Kilmore Cove ! Seule la carte de Thos Bowen stipulait encore l'emplacement des portes et de leurs clés.

Nous avions bien avancé. Nous avions récupéré quasiment l'intégralité du trousseau et dissimulé les battants. Nous serions probablement parvenus à gommer les dernières traces de ce secret si Olivia Newton n'avait pas poussé la porte de mon horlogerie.

C'était une femme superbe. D'une grande beauté, croyez-moi ! Je ne savais pas à qui j'avais affaire. Pas encore ! Elle était habillée en vert pomme de la tête aux pieds et souhaitait estimer un objet. Elle m'a expliqué qu'il s'agissait d'un cadeau de son ancienne institutrice, Clio Biggles, la sœur de Cléopâtre. Je connaissais très bien Clio ; mais si je m'attendais à ça... Cette femme, qui avait quitté Kilmore Cove depuis plusieurs années, avait offert à Olivia... la clé à l'effigie du chat !

J'ai réagi avec stupeur... puis j'ai commis l'irréparable : j'ai tenté de l'acheter à n'importe quel prix. Vous vous souvenez, on avait passé un temps fou à la chercher ! On a même cru qu'elle avait définitivement disparu. Eh bien, non ! Elle avait été emportée à Cheddar par une maîtresse d'école ! Et, soudain, voilà qu'elle qui réapparaissait entre les mains d'une merveilleuse inconnue.

Olivia Newton a immédiatement flairé l'affaire. À mon avis, elle s'est demandé pourquoi un modeste horloger était prêt à débourser une somme pareille pour un misérable bout de ferraille. Elle a donc commencé par fréquenter mon magasin et puis, un beau jour, elle m'a suivi jusqu'au domaine de la Chouette. Et ce qui devait arriver arriva : elle a débarqué chez moi.

J'étais ravi. J'avais grandi avec pour seule compagnie mes inventions, et accueillir une femme entre mes murs relevait du domaine du rêve. Je lui ai fait visiter la Maison aux miroirs. Elle se disait fascinée : c'était la première fois qu'elle voyait une architecture pareille. Je lui ai fait une démonstration en la faisant pivoter face au soleil couchant, puis face aux collines. Olivia n'arrêtait pas de me dire que j'étais un génie, un très grand génie. Et moi qui n'avais jamais vu une créature pareille, je l'ai crue.

Comme j'étais naïf ! Je n'avais pas compris qu'elle ne s'intéressait à moi que pour une seule raison : percer le mystère de la clé. Olivia savait très bien que je finirais par lui révéler sa valeur très particulière. Elle attendait seulement que je me sente en confiance, telle l'araignée guettant avec patience le moment où la mouche, épuisée et étourdie par ses bourdonnements incessants, s'engluera dans sa toile.

Je suis tombé dans son piège la tête la première ! Sans réfléchir et sans vous en parler. Je m'en voudrai toute ma vie... Ainsi, une nuit, après vous avoir aidés pendant des heures à effacer toute trace de Kilmore Cove, j'ai bandé les yeux d'Olivia et je l'ai accompagnée jusqu'au village. J'ai ouvert la porte de Mme Biggles avec sa clé en forme de chat et je l'ai guidée de l'autre côté du seuil. On est restés en Égypte moins d'une heure. Cela a pourtant suffi à cette femme maligne pour tout saisir.

À notre retour, elle m'a demandé s'il existait d'autres clés. Je ne lui ai pas répondu, mais elle a deviné la réponse. Petit à petit, j'ai fini par lui avouer qu'on dénombrait à Kilmore Cove plusieurs portes, toutes dotées de serrures différentes. Je lui ai précisé que chacune menait à un endroit spécifique. Sauf une : la porte principale. Celle-là ne pouvait s'ouvrir qu'avec quatre clés et conduisait n'importe où. Je n'ai jamais cité la Villa Argo, mais elle a compris, j'en suis sûr. À partir de ce moment-là, elle s'est mise à regarder votre maison avec des yeux avides.

Du jour au lendemain, son comportement a changé : elle est devenue froide, distante. Elle était dévorée par la convoitise. Elle m'a enfin révélé son vrai visage, mais le mal était fait. Je ne pouvais plus revenir en arrière.

Cela m'a fait l'effet d'une douche froide. J'ai réalisé la gravité de mes mensonges envers vous et celle de mes révélations à Olivia. Que pouvais-je faire ? J'avais trahi tout le monde, moi compris. Il ne me restait qu'un seul secret à protéger. Le plus grand de tous, celui dont vous n'avez probablement pas connaissance...

Le disque marqua une pause. On n'entendait plus que la pointe du saphir qui sautait sur le vinyle.

Nestor lissa sa barbe, plongé dans ses pensées.

Peter reprit son récit. Sa voix était plus basse. La mauvaise qualité de l'enregistrement la rendait parfois inaudible, avalant certains mots :

– Je lui ai raconté qu'une… façon de maîtriser… ouverture et la fermeture… toutes les portes… une seule clé… et elle… elle m'a demandé si je saurais la trouver… je ne lui… pas répondu… la promesse… »

Il y eut de nouveau un long silence. Puis Peter Dedalus se mit à parler plus vite, d'une voix plus aiguë.

Ses paroles, incompréhensibles au début, devinrent progressivement plus distinctes. On avait l'impression que l'horloger hurlait :

– Je vais fuir, oui, m'enfuir cette nuit ! Là où elle ne pourra pas me rejoindre. Ulysse, Pénélope, j'ai joué mon dernier coup… J'ai gardé le secret. Elle ne contrôlera jamais toutes les portes !

La voix se chargea d'émotion :

– Ah… amis… manquer… parties… Adieu… nélope… jardinier… Argo et les voyages ! Je fuis, mes amis ! J'abandonne ce monde cruel et abject. Je croyais que le cœur était un mécanisme parfait que l'on pouvait régler sans problème, mais j'ai découvert une réalité bien plus douloureuse… Adieu, Ulysse ! Adieu, Pénélope ! Je vous envoie par la poste la clé à

l'emblème de lion afin que vous puissiez la ranger en lieu sûr avec les autres. Elle ne me servira plus. Je lègue ma maison et ma boutique à Olivia. Qu'elle en fasse ce qu'elle veut, ça m'est bien égal ! Faites disparaître mon nom, brûlez mon enseigne à la chouette blanche et effacez-moi de votre mémoire. Quant à moi, je ne vous oublierai jamais...

Ainsi se terminaient les aveux de Peter Dedalus.

Chapitre 19
- Un choix décisif -

Le soleil n'était plus qu'une boule de feu à l'horizon, embrasant le ciel d'une belle teinte orangée. Dans la bibliothèque de la Villa Argo, le vieux disque en vinyle grésilla encore quelques instants, puis il tourna dans le vide. Rick souleva le manche et arrêta la platine.

Les enfants étaient accroupis autour du gramophone, Nestor se tenait debout à côté du piano. La lumière intense du coucher du soleil irradiait la pièce.

– C'était donc lui ! fit Julia en rompant le silence. C'est Peter qui a parlé des portes à Olivia !

Nestor serra les poings, avant de se mettre à tousser violemment. Il leva les bras pour libérer sa cage thoracique et demeura dans cette position jusqu'à ce que la quinte cesse. Lorsqu'il les baissa, son visage était déformé par l'angoisse.

– Tout s'éclaire maintenant ! Je commence à comprendre pourquoi Olivia fait raser la Maison aux miroirs ! lança Rick.

Nestor haussa les sourcils, alarmé :

– Quoi ? Qu'est-ce que c'est que cette histoire ?

Le trio évoqua l'arrivée de la pelleteuse de l'entreprise CYCLOPS et le début des travaux de démolition.

– On n'a rien pu faire ! Et on n'a pas eu le courage de voir ça..., confessa Julia.

– C'est... c'est la fin de tout ! bredouilla le vieux jardinier en faisant mine de s'éloigner.

– Nestor, attendez ! le rappela Julia. Ne nous laissez pas tout seuls !

– Sache, ma grande, que dans la vie on fait souvent cavalier seul ! grommela le jardinier.

Pourtant, il resta.

– Je me demandais..., reprit la jeune fille, la clé que Manfred vous a dérobée...

– ... c'était celle que Peter vient d'évoquer : le lion. Elle faisait partie des objets que l'ancien propriétaire de la villa m'avait confiés.

– Et elle permet d'ouvrir...

De nouveau, Nestor termina la phrase à la place de Julia :

– ... la porte du temps qui se trouve à l'intérieur de la Maison aux miroirs.

– Pourquoi vous ne nous avez pas dit qu'il en existait d'autres ?

Le jardinier garda le silence.

– Vous savez où mène la porte de Peter Dedalus ? insista Julia.

Nestor sursauta :

– Moi ? Et comment je le saurais ?

– Vous étiez bien au courant pour la clé à l'emblème de lion, insista Julia.

Nestor marmonna quelque chose dans sa barbe.

– ... et vous saviez que Peter avait une porte du temps chez lui.

– Vous m'agacez, à la fin, avec vos questions !

De rage, Nestor abattit son poing sur une des étagères, renversant la plaque de cuivre qui séparait les livres.

– Peter Dedalus précise qu'il existe plusieurs portes à Kilmore Cove, intervint Rick. Une ici, une chez Mme Biggles, une dans la Maison aux miroirs... Je me demande combien il y en a en tout...

– Je suis sûr que la réponse à ta question se trouve sur la carte qu'Olivia Newton nous a volée ! lança Jason.

– La carte indique également le nom des clés, enchaîna Rick.

– Olivia connaît peut-être leur fonction, mais elle ne les détient pas, lâcha enfin Nestor. Les Moore les ont mises en sécurité. À l'exception de celle que Clio Biggles lui a offerte. Elle se trouvait à Cheddar à ce moment-là.

– Et de celle de Peter que...

– ... Manfred nous a volée hier soir.

– Cela leur fait deux clés, selon toute vraisemblance : le chat et le lion, calcula Rick.

– Oui, mais nous, on détient les quatre clés qui

ouvrent la porte principale : l'ornithorynque, l'uraète, le varan et le renard ! rétorqua Jason.

Julia commença à faire les cent pas dans la pièce :

– Ah, si je pouvais aller lui flanquer mon poing dans la figure et récupérer les deux clés !

Tandis que les enfants discutaient avec animation, Nestor les observait. Leur enthousiasme était contagieux. Pourtant, le poème de Léonard et son inquiétant message hantaient encore le jardinier...

« Seulement, songea-t-il, Léonard ne connaît pas Rick et les jumeaux. Il n'est pas là à les écouter parler dans la bibliothèque. »

Une question soudaine de Jason l'interrompit dans ses pensées :

– Selon vous, combien de personnes sont au courant de l'existence de ces portes ?

– *Étaient* au courant, rectifia le domestique. À part moi, Olivia et son chauffeur, tout le monde est mort... ou a pris la fuite.

– On a donc l'avantage du nombre, conclut Jason. Nous sommes quatre contre deux.

Nestor n'en revenait pas : ce garçon de onze ans tenait des raisonnements d'adulte ! Il faisait preuve d'un courage et d'une volonté hors du commun.

Rongé par le doute, le domestique fixa le couloir qui desservait les chambres du premier étage et

réfléchit. Il devait prendre une décision. Le temps filait. La situation évoluait plus vite qu'il ne l'avait imaginé.

De son côté, Rick récapitula les nouveaux éléments de leur enquête :

— Bon, alors, on sait que les Moore avaient un projet : masquer les portes et mettre les clés en sécurité. Ils essaient donc d'isoler Kilmore Cove, à l'insu de ses habitants. Peter Dedalus les trahit, et Olivia découvre une partie de leur secret. Peter s'enfuit pour ne pas avoir à en révéler davantage... Tout laisse à penser que ça a un rapport avec l'ouverture et la fermeture des portes du temps... Puis... Euh... Qu'est-ce qui se passe après ?

— Pénélope et Ulysse Moore meurent, répondit Julia.

— Olivia est persuadée qu'elle pourra agir sans être dérangée par qui que ce soit. C'est alors qu'elle apprend que Nestor a vendu la Villa Argo à nos parents et qu'il faut composer avec nous...

— Pour tenir Olivia à l'écart, intervint Jason, Ulysse Moore nous met sur la piste des quatre clés de la porte principale et nous envoie chercher la carte de Kilmore Cove en Égypte. Mais on se la fait voler, et tout se transforme en fiasco.

— On a été nuls, conclut Rick.

– On a tout fait rater, soupira Julia.

Nestor toussa deux fois de suite, puis lâcha :

– Vous n'avez pas le droit de dire que vous avez échoué !

Il regarda les enfants l'un après l'autre :

– Surtout, n'allez pas penser ça, d'accord ? Vous... vous... Ah !

Il secoua la tête. Il n'avait jamais été très doué ni très à l'aise pour faire des compliments. Il se contenta donc de tousser un bon coup et d'ordonner à sa troupe :

– Désormais, vous vous en tiendrez à mes instructions ! Allez, suivez-moi !

Le vieux jardinier les escorta dans le couloir, où il s'arrêta à mi-parcours. Il se tourna vers Jason, les mains croisées, prêt à lui faire la courte échelle :

– Grimpe et ouvre la trappe là-haut !

– Quelle trappe ? s'exclamèrent en chœur les enfants, les yeux en l'air.

Il y avait bien une ouverture de la même teinte que le plafond. Seul un anneau métallique permettait de la distinguer.

Hissé par Nestor, Jason s'y agrippa.

– Vas-y, tire ! lança Nestor.

Jason essaya de toutes ses forces. En vain.

Il recommença et, cette fois, sentit la trappe basculer. Nestor le redescendit.

Dans l'ouverture apparurent les premières marches d'un escalier escamotable. Nestor l'attrapa et le déplia jusqu'au sol.

– Ça alors ! souffla Julia.

Nestor leur fit signe de monter :

– En avant !

– On va de surprise en surprise…, s'exclama la jeune Londonienne, intriguée.

Elle n'avait pas oublié la silhouette qu'elle avait cru apercevoir le matin derrière la fenêtre du grenier….

Manfred passa l'après-midi à observer les ouvriers de CYCLOPS, qui s'agitaient et couraient dans tous les sens depuis que la pelleteuse avait déclaré forfait. Ils n'arrêtaient pas d'entrer et sortir de la Maison aux miroirs, revêtus de curieuses combinaisons, armés de marteaux-piqueurs, de tronçonneuses et autres outils du même acabit.

La pelleteuse gisait, immobile et hors d'usage, son bras mécanique toujours encastré dans les murs de soutènement. Les ouvriers avaient réussi à bloquer le système de rotation en détruisant une série d'engrenages au sous-sol. Ils s'étaient ensuite résolus à poursuivre leur travail manuellement et démantelaient l'un après l'autre tous les murs sur leur passage.

Désormais, la Maison aux miroirs se résumait à une armature métallique entourée de gravats. Des balcons, des balustrades et des persiennes il ne restait plus rien. On avait soulevé ou perforé le carrelage du sol pour tenter de dénicher la fameuse porte.

Olivia Newton dirigeait ce petit monde depuis la cour, étudiant tour à tour la carte de Thos Bowen et les plans d'architecte dessinés par Peter Dedalus. À leur vue, Manfred se remémora sa visite à l'atelier de l'horloger et la percée qu'il avait dû effectuer dans le mur de l'arrière-boutique pour les récupérer...

Le soir commençait à tomber quand un des membres de l'équipe de démolition sortit à toute allure de la maison en criant :

– Mademoiselle Newton ! Mademoiselle Newton ! Venez voir ! Je crois qu'on a trouvé quelque chose...

Olivia se précipita à l'intérieur. Manfred la suivit d'un pas nonchalant.

– C'est bien ce que vous cherchiez ? demanda l'ouvrier.

Derrière un enchevêtrement de décombres, dans la salle des machines, il désigna un battant sombre, fixé par des gonds à un mur en pierre. Une fausse cloison en briques et en bois le dissimulait encore partiellement. Une inscription y était gravée : « Ulysse Moore ».

À la vue de ce nom, Olivia s'esclaffa :

– Tu as essayé de me la cacher, elle aussi ? Mais je suis beaucoup plus futée que toi !

– C'est bien la bonne ? insista le contremaître.

– Oui, oui, c'est celle-là ! confirma Olivia, caressant du bout des doigts la signature d'Ulysse Moore, un sourire radieux aux lèvres.

Soudain, elle se ressaisit et ordonna :

– Débarrassez-moi de tout ça ! Faites-moi sauter cette paroi ! Et vite !

Les ouvriers se mirent à l'œuvre, attaquant le faux mur aux marteaux-piqueurs. Quelques minutes plus tard, ils l'avaient fait disparaître complètement.

Ils s'écartèrent enfin pour permettre à Olivia d'admirer l'objet de sa convoitise.

C'était une très vieille porte massive. Elle avait été rayée, probablement au cours du dernier assaut des démolisseurs. En bas à gauche, on découvrait son imposante serrure, identique en apparence à celle qui se trouvait chez Mme Biggles.

Il n'y avait pas de doute : elle avait sous les yeux la fameuse porte de Peter Dedalus !

Instinctivement, Olivia détacha la clé qu'elle portait autour du cou. Sur son anneau était ciselé un lion. Soudain gênée par la présence des ouvriers, elle les congédia sans ménagement :

– C'est parfait ! Vous pouvez disposer.

Les quatre hommes posèrent leurs outils, ravis d'apprendre la nouvelle. Ils lui demandèrent quand ils pourraient revenir récupérer la pelleteuse, couchée sur le côté au beau milieu de la cour. Olivia prit son air désabusé :

– Laissez-la donc où elle est. Je vous la rembourserai, dit-elle en les raccompagnant.

– Comme vous voulez, mademoiselle Newton.

L'équipe au complet remonta dans le camion, qui démarra sur les chapeaux de roues.

Dès que la poussière se fut dissipée, Olivia redescendit au sous-sol. Elle tenait d'une main la clé à l'emblème de lion et de l'autre son sac à dos bien rempli. Elle n'avait toujours pas quitté sa combinaison de motard. Elle s'approcha de la porte du temps et introduisit sa clé dans la serrure.

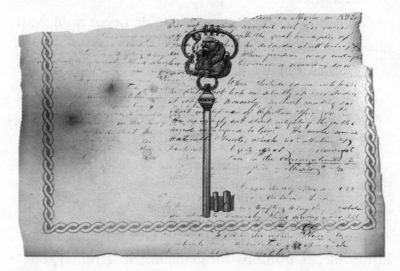

Elle ferma les yeux, retint son souffle et la fit tourner.

CLAC !

Olivia exultait. Elle se tourna vers Manfred :

– Tu viens avec moi ?

Le chauffeur fit la grimace. Il n'aimait pas ces portes et tout le mystère qui les entourait. Il préférait ne rien savoir :

– Non. Je vais rester surveiller la maison...

– Très bien. Mais je te préviens : je ne sais pas combien de temps cela va me prendre... Je dois retrouver Peter...

– Peu importe !

Manfred lui désigna une revue de tiercé qu'il avait glissée dans une de ses bottes :

– J'ai de quoi lire. Et...

Se désintéressant de ses propos, Olivia disparut de l'autre côté du seuil, dans l'obscurité la plus totale, et claqua le battant derrière elle.

Manfred jeta son journal par terre et termina sa phrase :

– ... bon voyage, mademoiselle !

Puis il regarda autour de lui. Ces poteaux métalliques et ces boulons lui glaçaient le sang. Il réfléchit : Olivia s'était absentée pour un bon moment ; dans la cour était garée une moto de course flambant neuve. Il venait de faire le plein d'essence...

– Pourquoi devrais-je attendre dans ce trou ? s'exclama-t-il en sortant dans le jardin.

L'homme de main d'Olivia avait pourtant une bonne raison de rester, qu'il découvrit une fois arrivé devant sa moto et ses pneus... crevés !

Manfred scruta les environs : il n'y avait pas âme qui vive. La Maison aux miroirs ressemblait à un décor de théâtre de marionnettes abandonné. Au sommet de la colline, ces drôles d'engins tournaient infatigablement dans le vent...

Pris d'une rage incontrôlable, le malfrat se mit à hurler et à donner des coups de pied dans tout ce qui se trouvait sur son passage.

Chapitre 21
- Au grenier -

*A*rrivé en haut de l'escalier pliant, Jason tendit la main à Rick et Julia. Il s'écarta ensuite de la trappe, attendant que Nestor les rejoigne. Les enfants se trouvaient sous la charpente de la Villa Argo, enveloppés dans la pénombre. Il régnait ici une chaleur sèche chargée d'odeurs, et le bois qui craquait de toutes parts rendait l'endroit oppressant. Avec un peu d'imagination, les trois compagnons auraient presque pu entendre les poutres et les tuiles converser.

– Waouh ! s'exclama Jason en balayant le grenier du regard.

C'était une grande pièce poussiéreuse, dans laquelle on avait entassé çà et là de vieux meubles et quelques bibelots masqués sous des draps. Les derniers rayons du soleil s'étaient invités par les fenêtres mansardées et mettaient en valeur le plancher aux allures de pont de bateau.

Contrairement à son frère, Julia regardait autour d'elle en frissonnant. Elle percevait des ombres menaçantes partout.

– Avancez ! ordonna Nestor, gravissant les marches avec peine.

Les enfants obéirent. Ils se frayèrent un passage entre le mobilier et arrivèrent dans un espace dégagé, éclairé par la fenêtre de toit qui donnait sur le jardin.

Dans la lumière du soleil couchant se profilait la silhouette d'un homme coiffé d'un grand chapeau.

À sa vue, Julia poussa un cri strident.

Rick, tout aussi terrorisé, lui pressa la main, tandis que Jason, les yeux écarquillés et la bouche grande ouverte, réalisa soudain qu'ils avaient découvert la pièce secrète d'Ulysse Moore... et que l'ancien propriétaire de la villa se tenait là, à quelques mètres de lui.

– Monsieur... Moore, je suppose? murmura le garçon en s'avançant dans sa direction.

L'homme ne répondit pas.

Rick, de son côté, recula.

Sous la fenêtre se trouvait une longue table en bois couverte d'aquarelles, de croquis et crayons. L'homme les attendait là, debout, bien droit.

Jason réitéra sa question et fit un pas de plus.

Il y eut un bruit. Les lattes de bois tremblèrent sous la démarche incertaine du jardinier, qui surgit derrière eux.

– Il ne peut pas te répondre, chuchota-t-il. Il ne peut plus.

Sous les combles, Nestor semblait soudain plus grand, plus imposant.

Il rejoignit Julia et posa une main sur son épaule:

– Tu n'as rien à craindre.

Ce n'est qu'à ce moment-là que Rick, gêné, lâcha la main de la jeune fille.

Le vieil homme rejoignit Jason en boitant et l'invita à s'approcher davantage. Alors seulement il lui montra le visage de l'homme au chapeau.

C'était un mannequin.

– Vous êtes dans le bureau de Pénélope, expliqua Nestor. C'est là qu'elle se retirait pour peindre.

À l'écart du faisceau de lumière, des toiles étaient en effet adossées au mur, à même le sol. Dans l'air flottaient encore des effluves de peinture mêlés aux senteurs du bois.

– Tout est resté à la même place, poursuivit Nestor. Tout son univers : ses tubes de couleurs, ses crayons mal taillés, ses fusains, ses palettes et, bien sûr, son modèle !

C'était un mannequin en tissu, très réaliste, de la taille d'un homme. Jason lui tourna autour avec circonspection, avant de se décider à le toucher.

Sur un coin de la table, Rick reconnut des pièces de l'échiquier de Peter Dedalus.

Nestor anticipa la question du garçon :

– Ils avaient fait un pari, tous les deux. À chaque fois que Peter perdait un pion, il s'engageait à fabriquer quelque chose pour Mme Moore. Dans le cas contraire, Pénélope lui donnait un tableau.

– ... Et fixait le pion derrière le cadre, comme derrière l'aquarelle chez les Bowen, enchaîna Rick.

– Quand avaient-ils commencé leur partie ? demanda Julia.

– Il y a deux ans, répondit Nestor sans hésitation.

– Pourquoi nous avez-vous emmenés ici ? s'enquit Jason après avoir admiré les œuvres de Mme Moore.

– Parce que je pense que vous avez mérité de savoir..., fit Nestor en se postant devant la fenêtre.

– De savoir quoi ? demanda Rick, qui pressentait à la tension ambiante que l'instant était capital.

– Ce que vous êtes venus faire ici, répondit le jardinier en se retournant.

– Ulysse Moore n'avait plus envie de se battre. Il avait passé la première moitié de sa vie à cultiver un secret, et la seconde moitié à tenter de le masquer et d'en effacer toute trace. Son secret, vous l'avez compris, c'est cette maison, la mer intérieure dans la grotte de Salton Cliff et le *Métis* amarré à son ponton. Ce sont aussi les quatre clés que vous possédez désormais et les portes qu'elles commandent. Mais le plus grand secret, c'est le village de Kilmore Cove. Un petit coin de Cornouailles unique, superbe, d'où

on peut rejoindre d'autres lieux tout aussi exception-
nels. Ah, les portes du temps ! Ulysse aimait dire
qu'elles menaient... aux ports de rêve, à des endroits
tels que cette villa, la falaise ou sa plage. Des par-
celles du monde épargnées par le chaos, dominées
par le calme, la beauté et fréquentées par des personnes qui ne recherchent rien d'autre... si ce n'est
un peu de temps pour en profiter, pour redécouvrir
de petits bonheurs simples, comme se baigner dans
une crique, s'allonger dans l'herbe et regarder passer
les nuages, lire dans la fraîcheur du soir. Ou encore
se réveiller à l'aube pour admirer le lever du soleil et
étaler ses couleurs sur une toile, se salir les mains
dans la terre, écrire des poèmes et les réciter à ses
amis. Rire avec eux, allumer des feux de camp sur la
plage et observer les étoiles. Se sentir liés les uns aux
autres par les mêmes sensations, la même envie de
découvrir la vie. Et voir surgir derrière une porte,
comme par enchantement, un monde lointain. Un
pays qui, par certains aspects, ressemble au nôtre
mais qui, par d'autres, en diffère complètement.

Nestor frôla la table à dessin et poursuivit :

– Pour Ulysse et Pénélope, Kilmore Cove et ses
portes constituaient le plus grand des mystères.
Quelque chose de magnifique et de dangereux à
la fois. Si par mégarde ces précieuses informations

étaient divulguées à des personnes mal intention-
nées, les portes et les univers merveilleux auxquels
elles donnent accès viendraient à disparaître...

– Olivia..., murmura Julia.

– Oui, tu as compris, confirma Nestor, c'est elle, le
vrai danger. Aux yeux de cette femme impitoyable,
le temps se résume à un chiffre, un horaire, un
compte à rebours, une course effrénée pendant
laquelle il faut... gagner de l'argent, acheter et vendre
ou se faire des ennemis et les combattre. Ah, ça, non,
Ulysse ne voulait pas voir débarquer ici des individus
de son espèce, obnubilés par le progrès et la renta-
bilité. Il voulait préserver ce village, perpétuant la
tradition familiale... Il a donc eu l'idée de réunir ses
amis pour chercher avec eux un moyen de mettre
Kilmore Cove à l'abri des dérives du monde
moderne. La localité devait ainsi disparaître des
annuaires téléphoniques, des réseaux ferroviaires et
des guides touristiques. Il ne devait y avoir ni restau-
rant, ni musée, ni cinéma, ni monument historique,
ni aucune manifestation susceptible d'attirer les
foules. Et, lorsque les fonctionnaires du ministère des
Affaires culturelles sont venus recenser nos œuvres
d'art, un ami d'Ulysse a suggéré de changer le nom
de la seule statue de valeur que nous comptions, afin

qu'on cesse de la citer dans les catalogues. Qui, en effet, s'intéresserait au portrait d'un roi qui n'existe pas ?

Jason éclata de rire ; Rick l'imita, malgré son étonnement.

Soudain, Nestor changea de ton :

– Mais... vous connaissez la suite. Olivia a reçu une des clés en cadeau et a découvert Kilmore Cove.

– Peter lui a tout révélé..., ajouta Julia.

– Et plus personne n'a réussi à l'arrêter.

Nestor marqua une pause, comme s'il avait besoin de reprendre courage avant d'aborder une partie délicate :

– Ulysse était fatigué, vieux, éprouvé. Il avait perdu sa femme. Il se sentait trahi et abandonné par ses amis, seul au monde. J'étais là, bien sûr, mais ce n'était pas pareil... Pourtant, avant de mourir, Ulysse avait pensé que quelqu'un, un jour, pourrait reprendre le flambeau et poursuivre son combat...

Nestor regarda les enfants : à eux trois réunis, ils n'avaient pas quarante ans. Mais leurs yeux pétillants suivaient chacun de ses mouvements, comme s'il était en train de décider du sort de l'humanité. Ils l'écoutaient, le comprenaient.

C'étaient eux, sans aucun doute.

–... et ce quelqu'un est enfin arrivé, annonça-t-il.

Le vieux jardinier s'approcha du mannequin et, délicatement, souleva le chapeau. Ses larges bords sombres étaient ornés d'une ancre blanche cousue à l'intérieur d'un médaillon doré.

–Voilà son chapeau. Il le portait à chaque fois qu'il redevenait capitaine du *Métis* et partait en voyage au-delà de la Porte du Temps.

Nestor l'agita pour chasser un nuage de poussière, puis toussa.

–Cela fait trop longtemps qu'il est là, poursuivit-il après avoir retrouvé l'usage de sa voix, alors que sa place devrait être sur la tête d'un capitaine digne de ce nom... qui connaisse le *Métis* et sache le faire voguer vers les ports de rêve. Un capitaine comme toi, Jason Covenant, fit-il en tendant le chapeau au garçon.

–Comme moi? répéta ce dernier, incrédule.

Il s'en empara avec la même précaution que s'il s'agissait d'une précieuse relique.

Nestor retira ensuite du pantin en tissu la veste aux boutons dorés et la tendit à Julia :

–Comme toi, Julia Covenant.

Il ôta enfin un sabre en argent rangé dans son fourreau et le donna à Rick :

– Et comme toi, Rick Banner !

Les trois enfants restèrent plantés là, à le fixer, ébahis, incapables de faire le moindre geste. Chacun tenait fermement le trésor qu'il venait de recevoir. Devant leurs mines médusées, Nestor éclata d'un rire franc pour la première fois depuis bien longtemps.

Puis le jardinier reprit ses explications :

– Ulysse pensait céder sa place à une seule et unique personne... et il avait préparé cet uniforme, que je devais lui remettre. C'était à moi de choisir l'heureux élu en mon âme et conscience et de lui révéler ce que je savais sur la Villa Argo et Kilmore Cove. Ulysse m'avait également chargé de lui parler du pacte conclu par tous les anciens propriétaires de cette maison depuis le commencement des temps : protéger coûte que coûte les portes et les clés.

Jason écarquilla les yeux :

– Attendez ! Vous voulez dire que tous ceux dont les portraits sont accrochés dans la cage d'escalier...

– ... sont les ancêtres d'Ulysse Moore, les gardiens de ces lieux, qui vous ont précédés. Et, aujourd'hui, par les pouvoirs que M. Moore m'a conférés, je vous choisis pour perpétuer cette tradition millénaire. Ma décision est prise. Maintenant, libres à vous d'accepter ou de refuser !

– Oui, oui ! J'accepte ! hurla Jason, enthousiaste.

Nestor lui sourit. Les particules de poussière éclairées par les derniers rayons du soleil tournoyaient autour de sa tête :

– Il y a une règle : vous devez tous les trois accepter.

Julia et Rick échangèrent un regard.

Le jeune rouquin prit la parole le premier :

– Je suis né dans ce village, et je suis prêt à le protéger toute ma vie ! Mon pays, ma maison, c'est ici.

Sur ces mots, il attacha le fourreau de son sabre à sa ceinture. Jason l'imita en coiffant son feutre de capitaine, qui lui descendit jusqu'aux sourcils.

– Au secours ! Je n'y vois plus rien ! plaisanta-t-il.

Julia poussa un profond soupir. Elle était partagée entre la fascination et la peur.

Contrairement à Jason, qui n'avait pas réfléchi une seule seconde à l'importance de ce choix, elle avait conscience de vivre un moment historique. Aux yeux de son frère, le grenier s'était transformé en château fort, et Nestor était le roi qui désignait ses chevaliers. Pour lui, c'était un jeu. Elle, en revanche, soupesait les enjeux...

La vie à Kilmore Cove n'avait rien à voir avec le stress de Londres... Elle avait connu ici de très vives émotions, elle avait risqué sa vie pour une personne

qu'elle connaissait à peine... Un vieux jardinier boiteux.

Elle songea qu'une telle responsabilité rendrait ses parents tellement fiers d'elle...

La jeune fille enfila la veste d'Ulysse Moore, dont les boutons dorés réfléchissaient la lumière du soir.

– Je ne suis pas née ici... mais je veux que ce village reste tel qu'il est. Oui, j'accepte.

Nestor s'inclina gauchement devant le trio et déclara :

– Je ne suis pas très doué pour les cérémonies officielles... Mais je vous nomme solennellement Gardiens de la Porte du Temps et Chevaliers de Kilmore Cove !

Deux écureuils grimpèrent le long des gouttières et s'arrêtèrent, surpris, sur le toit de la Villa Argo. Ils agitèrent leurs moustaches et regardèrent autour d'eux, intrigués : les tuiles du toit s'étaient soudain mises à trembler, comme si les habitants de la vieille maison avaient eu l'idée saugrenue de danser sous les combles.

Chapitre 22
- De nouvelles perspectives -

Mme Covenant rappela juste avant le dîner. Elle semblait résignée. Le déménagement s'était révélé cauchemardesque. Pour couronner le tout, l'équipe avait fortement endommagé un vaisselier de valeur qu'elle tenait à installer dans la cuisine de la Villa Argo.

– C'est à se demander si on ne ferait pas mieux de vendre toutes nos affaires à Londres et de racheter ce dont nous avons besoin à Kilmore Cove..., avoua-t-elle d'une voix lasse. Figurez-vous que j'ai même envisagé de repartir en train et de laisser votre père gérer cette bande d'incapables ! Mais aller jusqu'à Kilmore Cove est un vrai parcours du combattant ! Et, franchement, je n'avais aucune envie de passer la journée à étudier les horaires et les correspondances...

Julia sourit, énigmatique.

– Et tu sais comment sont les hommes, ma chérie ! On ne peut jamais les laisser seuls...

– Je comprends, maman. Ne t'inquiète pas.

Dans le petit salon en pierre adjacent, les deux garçons mettaient au point un programme pour les jours à venir.

La jeune fille tira sur le fil du téléphone et se pencha pour voir où ils en étaient.

– Et avec ton frère, comment ça va ? Vous ne vous

chamaillez pas trop, j'espère ? insistait sa mère. Tu connais Jason... Il faut être patient avec lui...

— Non, non, maman ! Tout se passe très bien, la rassura-t-elle. Il est adorable.

— Il ne vous est rien arrivé, au moins ?

— Non ! Qu'est-ce que tu veux qu'il nous arrive ici ?

— Surtout, soyez prudents ! Et n'ouvrez pas aux inconnus, d'accord ?

— Cesse donc de t'inquiéter, maman ! Nestor est là, et il...

Mais Mme Covenant écoutait à peine les réponses de sa fille. Elle avait besoin d'exprimer tout ce qu'elle avait sur le cœur. Elle continua donc, imperturbable, obnubilée par ses soucis :

— De toute façon, je me fiche éperdument de ces guignols ! Demain, je rentre ! C'est promis. Tu verras, tout ira beaucoup mieux quand je serai là.

Julia soupira : ne venait-elle pas justement de lui dire que tout allait bien ?

— D'accord, mon trésor ?

— Euh... oui, maman.

— À demain, alors, ma chérie !

— C'est ça, à demain.

— Soyez sages.

— Tu peux compter sur nous...

Julia raccrocha.

Elle se cala contre le dossier du fauteuil et resta immobile, à écouter siffler le vent derrière les fenêtres. La soirée ne faisait que commencer, et elle se sentait épuisée.

Elle rejoignit les garçons en bâillant.

– Qu'est-ce qu'elle a dit ? lui demanda Jason.

– Ils arrivent demain.

– Ça nous laisse peu de temps ! Il faut agir avant leur retour.

Julia n'était pas de cet avis :

– Ce n'est pas possible ! Je suis crevée, et Rick aussi, j'ai l'impression.

Le garçon avait de petits yeux brillants. Ses jambes et ses égratignures le faisaient souffrir :

– Je n'ose pas redemander à ma mère la permission de rester dîner ici ce soir...

De la cuisine montait une appétissante odeur de viande grillée.

– Alors, Messieurs les Chevaliers, quel est votre plan ? s'enquit Julia en s'asseyant par terre à l'endroit même où, la veille, ils avaient résolu l'énigme des quatre serrures.

À première vue, Rick et Jason avaient pris très au sérieux la tâche que Nestor leur avait confiée. Ils avaient noirci des feuilles entières de noms, de flèches et de schémas. Jason avait retrouvé un certain enthousiasme, même s'il était déçu de ne pas avoir rencontré l'ancien propriétaire de la villa en chair et en os. Il mit de l'ordre dans ses notes et exposa leur plan à sa sœur :

– La première chose à faire pour neutraliser Olivia, c'est de comprendre ses intentions. D'après Rick, elle recherche Peter Dedalus.

– Qu'est-ce qui lui fait croire ça ?

– Peter a laissé entendre qu'il connaissait un moyen de contrôler toutes les portes de Kilmore Cove, et Olivia veut le faire parler.

– Elle va donc franchir le seuil de la porte de la Maison aux miroirs pour le retrouver, déduisit Julia.

– Exact ! fit Jason. Le problème, c'est qu'on ne sait pas où mène cette porte... Voici ce que je vous propose : on va se répartir les cahiers qu'Ulysse Moore a laissés dans la tourelle et les éplucher jusqu'à ce qu'on tombe sur un élément qui nous mette sur la piste.

À l'idée de lire, Rick fit la grimace et essaya de se débiner :

– On le fera demain ! Moi, j'ai déjà le livre de Calypso.

Le seul nom de la libraire déclencha chez les trois enfants un fou rire communicatif.

– Ensuite, reprit sérieusement Jason, on remontera à bord du *Métis* pour rejoindre l'endroit où Peter s'est réfugié. Et on le rattrapera avant Olivia.

Le programme était fixé. Il ne restait plus qu'à prendre congé de Rick, qui rentrait dîner et dormir chez lui.

Le garçon rassembla ses affaires. Il confia à Jason la corde qu'il avait emportée en Égypte et *Le Dictionnaire des Langages Oubliés*. Puis il enfourcha sa bicyclette et commença à redescendre l'allée :

– À demain !

– À demain, Rick ! crièrent à l'unisson les jumeaux.

Dehors, le ciel n'était plus qu'une immense palette de teintes orangées, mauves et grises.

Jason entra dans la cuisine et se mit à assaillir Nestor de questions sur les portes, les clés et les amis d'Ulysse Moore.

Julia, elle, en avait trop entendu pour aujourd'hui. Elle était épuisée.

Constatant que le domestique était en train de faire cuire trois steaks, elle dit :

– Ne me comptez pas, Nestor ! Je suis désolée, je monte tout de suite me coucher.

Le vieux jardinier lui répondit en souriant :

– D'accord. Repose-toi bien !

Depuis ses longues explications au grenier, Nestor avait changé. Il était plus calme, moins sauvage et mystérieux. On avait l'impression qu'il s'était libéré d'un fardeau.

– Tu me donnes ta part ? demanda Jason à sa sœur.

Julia acquiesça. Elle ne pensait plus qu'à une chose : dormir, dormir, dormir...

– Bonne nuit ! Je tombe littéralement de sommeil...

– Bonne nuit, p'tite sœur.

En s'éloignant, elle entendit Jason confier à Nestor à voix basse :

– Il faut l'excuser. Après tout, les filles sont moins résistantes que les garçons !

Arrivée au milieu des escaliers, la jeune fille s'immobilisa. Elle avait cru entendre un bruit...

– Vous m'avez appelée ? fit-elle en se retournant brusquement.

Ni Jason ni Nestor ne lui répondirent.

« Mon imagination me joue des tours... », pensa-t-elle.

Quelques marches plus haut, un souffle d'air lui frôla les cheveux. Une fenêtre du rez-de-chaussée claqua, et la porte au miroir menant à la tourelle se referma d'un coup sec.

Julia s'agrippa à la rampe, transie de peur.

Instinctivement, elle glissa les mains dans ses poches et serra les quatre clés de la Porte du Temps.

– Julia! l'appela Jason depuis la cuisine. Ferme la fenêtre de la tour! Il y a un courant d'air!

Elle sentait en effet un filet glacé lui balayer les pieds. Et cela provenait bien de là-haut. Les portraits des ancêtres de la famille Moore l'observaient, suspendus à leurs cimaises.

Julia gravit les derniers degrés et franchit le seuil de la tourelle.

Jason avait raison : la fenêtre s'était encore ouverte. Julia se pencha pour la fermer et la bloqua du mieux qu'elle put. C'était peine perdue, elle le savait : la poignée était cassée.

Soudain, elle s'arrêta net. Quelque chose avait changé dans la pièce.

Un parfum flottait dans l'air. Ou plutôt une odeur rance, tenace.

La panique s'empara de la jeune fille. Elle s'adossa au mur et scruta minutieusement chaque recoin.

Qu'est-ce qui avait été bougé depuis la dernière fois ?

Lorsqu'elle comprit, son sang se glaça. Elle tenta d'appeler son frère, mais aucun son ne sortit de sa bouche.

Sur le bureau, juchée sur un des carnets de

voyage d'Ulysse Moore, trônait la maquette d'une gondole, le bateau vénitien typique.

Les mains tremblantes, Julia souleva le modèle réduit et ouvrit le carnet.

L'ancien propriétaire y avait noté ses commentaires et ses observations lors d'un voyage à Venise. Sur la première page, il avait esquissé au crayon le lion de la place Saint-Marc.

– La clé à l'emblème de lion ! sursauta Julia. Se peut-il que... ?

Rassemblant le peu de forces qui lui restaient, elle dévala les marches et se rua dans la cuisine, manquant de renverser la poêle.

– Que se passe-t-il ? lui demanda son frère.

Sans répondre, Julia se précipita dans le jardin et vint se poster sous la tourelle. Elle brandit le carnet qu'elle venait de trouver.

– Où es-tu ? s'égosilla-t-elle. Où te caches-tu ?

Elle cherchait quelqu'un, quelque chose entre les arbres du parc.

À cette heure entre chien et loup, seul le chant des grillons s'élevait dehors, telle une musique douce. Les feuillages bruissaient imperceptiblement. Une chouette hululait, annonçant le début de sa chasse nocturne. La mer baignait la falaise de Salton Cliff de son écume blanche.

Il n'y avait personne. Absolument personne.

– Julia ? cria Jason depuis la cuisine. Qu'est-ce qui te prend ?

Elle scruta une dernière fois les ombres du parc, le toit et ses fenêtres, les longues branches crochues du sycomore.

Résignée, elle alla rejoindre son jumeau et, discrètement, lui glissa à l'oreille :

– Venise ! Peter Dedalus se cache à Venise !

Chapitre 23
- Sur la colline -

ÉGLISE
SAINT-ELME

Rick s'arrêta au bord de la route pour admirer le crépuscule. Le vent soufflait dans les hautes herbes, et les mouettes jouaient dans les derniers rayons de lumière. Là, en bas, le village de Kilmore Cove s'apprêtait à passer une nuit tranquille. Le garçon ne put s'empêcher de sourire : dire qu'à l'intérieur de ces maisons se cachaient des portes du temps s'ouvrant sur d'autres mondes ! Désormais, il s'était habitué à cet état de fait, qui lui paraissait presque normal.

Chaque élément de ce paysage, sublimé par les jeux d'ombres et de tons pastel, véhiculait une part d'enchantement. Inspiré, Rick se mit à philosopher : oui, la beauté et la magie avaient dû être inventées un même jour... Les habitants de ces lieux, bourrus mais joyeux, avaient réussi à isoler cette baie du reste du monde, à la garder intacte et paisible, belle et magique. Peut-être existait-il des endroits sur lesquels le temps n'avait pas prise...

« Non, on ne peut pas dire ça ! songea Rick, en proie à d'autres questions, plus complexes et douloureuses. Le temps déferle à la vitesse d'une énorme vague qui emporte tout sur son passage. »

Il remonta en selle et fit demi-tour.

Au souvenir d'une phrase de Nestor, une idée lui avait soudain traversé l'esprit... Il s'attaqua à la côte la plus raide des environs, dressé sur ses pédales. La montre que son père lui avait offerte brillait sur son guidon.

Arrivé en haut de la pente, il sauta à terre et poussa sa bicyclette sur les derniers mètres. Il posa son vélo contre un muret et se baissa pour cueillir deux fleurs jaunes, dérangeant deux grillons bruns. Il franchit la grille.

L'endroit, balayé par le vent, était parsemé de cailloux et envahi par les chardons sauvages.

Le cimetière se résumait à un simple champ, autour duquel on avait grossièrement érigé un petit mur en pierre. Rick aurait pu aisément l'enjamber, mais il choisit de passer par le portail, resté ouvert.

Doucement, respectueusement, l'enfant du pays franchit la grille et entra.

Au loin, une vague vint se briser avec fracas contre les rochers, saluant à sa manière la résidence des morts.

Rick déambula entre les pierres tombales et les croix, alignées les unes contre les autres et ornées de galets, coquillages et fleurs séchées. Il flottait dans l'air une légère odeur de musc, d'écorce et de brûlé.

Le garçon s'agenouilla devant une modeste tombe en pierre grise. Il y déposa ses deux fleurs, coinçant leurs tiges sous un caillou.

Il resta là, immobile, sans parler ni bouger, jusqu'à ce que le cimetière soit plongé dans l'obscurité la plus complète.

«Papa..., dit-il enfin d'un ton suppliant. Je ne les ai pas trouvés! Ils ne sont pas là! Dis-moi, si Ulysse et Pénélope Moore sont morts et enterrés à Kilmore Cove... pourquoi n'y a-t-il aucune stèle à leur nom?»

À SUIVRE

Voici d'autres photos retrouvées dans la malle...

Mademoiselle Calypso

Léonard Minaxo

Gwendoline Mainoff

Mr et Mme Bowen

Mme Biggles

Plan touristique
du village de
KILMORE COVE
Cornouailles

Pièce annexe du VOYAGEUR CURIEUX
Petit guide de Kilmore Cove et de ses environs

Avis au lecteur

Juste avant d'imprimer ce manuscrit, nous avons
reçu un autre e-mail de Pierre-Dominique Bachelard.
Il nous a semblé important de vous le communiquer.

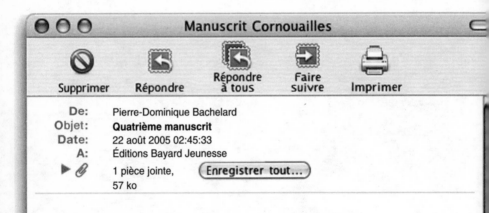

Supprimer   **Répondre**   **Répondre à tous**   **Faire suivre**   **Imprimer**

De: Pierre-Dominique Bachelard
Objet: **Quatrième manuscrit**
Date: 22 août 2005 02:45:33
A: Éditions Bayard Jeunesse

▶ 🖉 1 pièce jointe, (Enregistrer tout...)
57 ko

Salut, c'est encore moi !

Je suis toujours en Cornouailles. Après avoir déchiffré le troisième
cahier d'Ulysse Moore, j'ai enchaîné avec le quatrième. Je viens de traduire
un passage important. Je vous le transmets, parce que je sais que vous
êtes aussi impatients que moi de connaître la fin de cette histoire.

*Peter Dedalus était vivant. Cela ne faisait désormais aucun doute. Les
trois enfants étaient par ailleurs convaincus que l'ombre du lion de Saint-
Marc allait leur indiquer le chemin de son atelier avec la précision d'une
boussole.*

Mais, auparavant, ils devaient retrouver la trace du Gondolier Noir, la seule personne capable de les conduire jusqu'à l'île aux Masques.

Ils n'avaient pas de temps à perdre : ils avaient accumulé un retard considérable en cherchant à comprendre où Peter s'était réfugié.

– Olivia arrivera avant nous..., murmura Julia, inquiète.

– On ne la laissera pas faire, tu vas voir ! rétorqua Jason, sûr de lui.

Ses vêtements étaient encore infestés d'écailles de poisson et de duvet de pigeon.

À chacun de ses mouvements, il envoyait valser des paquets de plumes.

– J'ai peut-être une idée..., fit Rick en scrutant l'embarcadère de San Zaccharia.

Je dois filer... Dès que je trouve de nouveaux éléments, je vous en informe.

À bientôt !

Pierre-Dominique

P. S. Ci-joint un dessin que j'ai retrouvé dans le quatrième carnet d'Ulysse Moore.

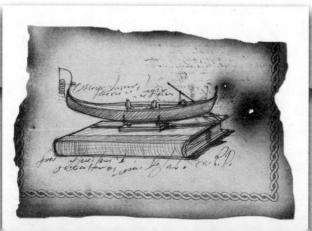

- SOMMAIRE -

ULYSSE MOORE

1 - LES CLEFS DU TEMPS

Jason et Julia, des jumeaux de onze ans, viennent de quitter Londres pour emménager dans la Villa Argo, une immense maison construite à pic sur la falaise et gardée par Nestor, un vieux jardinier peu bavard... Un soir, profitant de l'absence de leurs parents, Jason et Julia, accompagnés de leur ami Rick, décident d'explorer les lieux... Et découvrent une mystérieuse porte qui a quatre serrures. Mais, curieusement, aucune clé ne peut les ouvrir. Qu'y a-t-il de l'autre côté ? Les enfants n'ont qu'une idée en tête : l'ouvrir à tout prix... Ainsi commence une chasse au trésor pleine de rebondissements. Les enfants parviennent à rejoindre une grotte cachée dans les entrailles de la falaise. Un bateau magique, le Métis, y est amarré. Ils embarquent à son bord, traversent une mer intérieure et trouvent une nouvelle porte. Là, une surprise de taille les attend...

LA BOUTIQUE
DES CARTES PERDUES

pte pharaonique, pays de Pount.
on, Julia et Rick ont franchi
orte du Temps. Ils se
ouvent dans la Maison de Vie,
gigantesque bibliothèque aux allures
abyrinthe, dans laquelle sont conservés
papyrus, des parchemins et des tablettes
enant des quatre coins du monde antique.
e fois, les trois aventuriers sont à la recherche
e carte mystérieuse. Seul l'étrange propriétaire
a Boutique des Cartes perdues connaît l'indice
es mettra sur la piste...

Mis en pages par DV Arts Graphiques à Chartres,
cet ouvrage a été achevé d'imprimer
en mars 2007
par Legoprint à Trente
pour le compte des Éditions Bayard

Imprimé en Italie